TOLLE TASCHEN NÄHEN

Arbeiten mit dem Schnittmusterbogen

Alle Schnittmuster für die Modelle in diesem Buch finden Sie in Originalgröße auf dem beiliegenden Schnittmusterbogen. Alle zusammengehörigen Teile eines Schnittmusters sind in der gleichen Farbe angelegt. Um ein Papierschnittmuster anzufertigen, legen Sie Schnittpapier unter den Schnittmusterbogen. Dazwischen platzieren Sie Schneiderkopierpapier, und zwar mit der beschichteten Seite nach unten. Fahren Sie nun mit dem Kopierrädchen oder einem Bleistift alle Konturen eines Schnittteiles in gleicher Farbe nach. Übertragen Sie auch die Innenlinien wie Abnäher, Fadenlauf und Bruch- oder Ansatzkanten sowie Markierungen für Knöpfe etc. Achten Sie darauf, dass Sie beim Kopieren der verschiedenen Teile das Schnittpapier immer so weit verschieben, dass die einzelnen Teile auf dem Schnittpapier neben- und nicht übereinanderliegen.

Schneiden Sie jedes Schnittteil entlang der Außenkonturen aus dem Schnittpapier aus. Anschließend übertragen Sie die Bezeichnung des Schnittteils und die Anzahl, wie oft das Teil aus Stoff zugeschnitten werden muss, auf das Papier. Markieren Sie gegebenenfalls Kanten, die am Stoffbruch angelegt werden müssen. Achten Sie auch darauf, dass Sie Belegteile, die gegebenenfalls in den Schnittteilen eingezeichnet sind, extra auf Papier übertragen.

Extra-Service: Alle Schnittmuster auch zum Download

Alle auf dem beiliegenden Schnittmusterbogen abgedruckten Schnittmuster stehen auch zum Download als PDF-Dateien auf unserer Webseite bereit. Für den Download der einzelnen Schnittmuster benötigen Sie einen PC mit Drucker, einen Internetzugang sowie das Programm Adobe® Acrobat® Reader. Damit können Sie sich die Schnittmuster im Format DIN A4 ausdrucken. Das Zusammenfügen mehrseitiger Schnittmuster ist nicht schwierig: Eine Anleitung hierzu finden Sie auf der Webseite.

Zu unserer Webseite gelangen Sie über den hier abgedruckten Internetlink, den Sie in die Adresszeile Ihres Browsers eingeben, oder den QR-Code:

http://more4u.online/9cJ

Dann das gewünschte Schnittmuster auswählen und entsprechend der Anleitung auf der Webseite ausdrucken und ggf. zusammensetzen.

Schwierigkeitsgrad

Zu jedem Modell ist ein Schwierigkeitsgrad angegeben, dargestellt durch Sterne. Ein Stern bedeutet „einfach“, diese Modelle sind relativ schnell umzusetzen, auch für Näheinsteiger. Die Modelle, die mit zwei Sternen gekennzeichnet sind, haben einen mittleren Schwierigkeitsgrad, sie sind etwas aufwendiger und brauchen mehr Zeit und etwas Übung. Profi-Projekte mit drei Sternen setzen bereits einiges an Näherfahrung und Übung voraus.

★☆☆ Für Nähanfänger

★★☆ Für Fortgeschrittene und Geübte

★★★ Für Profis an der Nähmaschine

TOLLE TASCHEN NÄHEN

Über 20 Modelle für jede Gelegenheit

INHALT

ALLTAGSBEGLEITER

Maritimer Shopper 8
Asymmetrische Jeanstasche 11
Leinentasche „Katze an Bord" 12
Fuchsbeutel 14
Sportlicher Shopper 16
Zwei Zitronentaschen 19
Wolkenrucksack mit Kork 22
Beutel im Origamilook 25
Faltrucksack mit Dinos 28
Rucksack-Shopper 2 in 1 30
Lässiger Matchsack 32
Rucksack mit Geheimfächern 35

SCHMUCKSTÜCK

Briefkuvert-Clutch aus Kork 41
Triangeltasche aus Kunstleder 42
Samtclutch mit Federn 44
Clutch mit Schleife 47
Pailletten-Clutch mit Quaste 49
Schultertasche in Grau-Weiß 50

ORDNUNGSWUNDER

Schminktäschchen „Kussmund" 56
Kabeltasche für unterwegs 59
Messengerbag in Grau-Grün 60
Weekender im Streifenlook 63
Lunchbag „Freches Früchtchen" 66

Näh-ABC 68

Liebe **Taschenfreunde!**

Taschen kann man nie genug haben! Mal schick, mal sportlich und mal praktisch – es gibt unzählige Einsatzbereiche. In diesem Buch zeige ich Ihnen, wie Sie sich die perfekte Tasche nähen. Denn Shopper, Rucksack oder Clutch selbst zu schneidern ist gar nicht schwer. Alles, was es braucht, ist Freude am Gestalten, Stoff, Nähmaschine und ein spannendes Hörspiel!

Mit meinen 23 Taschenideen möchte ich Sie inspirieren. Blättern Sie durch das Buch und versuchen Sie sich an Ihrer Lieblingstasche. Die angegebenen Schwierigkeitsgrade helfen Ihnen bei der Auswahl. Jede Anleitung führt Sie Schritt für Schritt durch Ihr Projekt. So kann nichts schief gehen und bewundernde Blicke sind Ihnen garantiert.

Ich wünsche Ihnen viel Freude beim Nähen und Ausführen Ihrer neuen Tasche!

Jessica Stuckstätte

ALLTAGSBEGLEITER

Beim Einkaufen, auf dem Weg zum Sport oder einfach, um immer alles Wichtige dabei zu haben – im Alltag ist eine Tasche unverzichtbar. Und wenn sie dann noch ein echter Hingucker ist, umso schöner. In diesem Kapitel finden Sie Ihren idealen Alltagsbegleiter! Ob groß, ob klein, ob flippig oder schick, hier ist für jeden Geschmack etwas dabei.

MARITIMER SHOPPER

GRÖSSE: 45 cm breit, 50 cm hoch | SCHWIERIGKEITSGRAD: ★★★

Dieser schöne, große Shopper wird aus Canvas und Lederpapier genäht und erhält dadurch seine maritime Optik, die an Segeltuch und Bootsfender erinnert. Die großen Ösen sind ein cooles, modisches Statement. In Schwarz-Weiß gehalten, passt die sportliche Tasche zu quasi jedem Outfit.

✂ **Schnittmuster: Bogen A und B**

MATERIAL

- Canvas in Weiß, 140 cm breit, 60 cm lang
- Baumwollstoff in Schwarz-Rosa gemustert, 150 cm breit, 60 cm lang
- SnapPap Lederpapier in Schwarz, 50 cm breit, 70 cm lang
- Gurtband in Schwarz-Weiß gestreift, 4 cm breit, 100 cm lang
- 2 Ösen in Schwarz, ø 4 cm (Innendurchmesser)
- farblich passendes Nähgarn

SO WIRD'S GEMACHT

Zuschneiden:

Für den Vintage-Look das Lederpapier vor der Verarbeitung bei 60 °C waschen.
(**Hinweise:** Alle Teile plus 1 cm Nahtzugabe zuschneiden; den Besatz für die Laschen 2 x wie abgebildet zuschneiden, das Lederpapier also nicht doppelt legen!)

- aus Canvas in Weiß: 1 x Tasche (Schnittmuster an Ansatzlinie aus Teil A und B zusammensetzen)
- aus Baumwollstoff Schwarz-Rosa gemustert: 1 x Tasche (Schnittmuster an Ansatzlinie aus Teil A und B zusammensetzen)
- aus SnapPap Lederpapier in Schwarz: 1 x Besatz Boden im Stoffbruch (= Ansatzlinie Teil A/B) (an der oberen Kante ohne Nahtzugabe); 2 x Besatz Lasche (an der unteren Kante ohne Nahtzugabe)

1. Den Besatz für den Taschenboden entsprechend dem Schnittmuster auf die rechte Stoffseite der Canvas-Tasche stecken und ringsum knappkantig feststeppen. An den Kanten ohne Nahtzugabe zusätzlich 1 cm breit absteppen.

2. Die Tasche rechts auf rechts zusammenlegen und die Seitenkanten schließen. Die Nahtzugaben auseinanderbügeln. Danach am Boden die offenen Kanten aufeinanderstecken und zusammennähen.

3. Die Besätze für die Laschen entsprechend dem Schnittmuster auf die rechte Stoffseite der Baumwoll-Tasche (Futter) aufstecken und ringsum knappkantig aufsteppen. An der Kante ohne Nahtzugabe zusätzlich 1 cm breit absteppen.

4. Das Futter rechts auf rechts zusammenlegen und die Seitenkanten schließen. Dabei auf einer Seite eine ca. 15 cm lange Wendeöffnung lassen. Anschließend am Boden die offenen Kanten aufeinanderstecken und zusammennähen.

5. Das Futter rechts auf rechts über die Tasche (rechte Seite zeigt nach außen) stülpen und die offenen Kanten am Taschenrand und an den Laschen aufeinanderstecken. Rundum zusammennähen. Danach die Nahtzugaben an den Ecken der Laschen einschneiden bzw. kürzen, damit sich diese später gut ausformen lassen.

6. Die Tasche wenden, die Wendeöffnung schließen und das Futter in die Tasche schieben. Danach die Laschen ausformen. Den Taschenrand und die Laschen erst knappkantig und dann nochmals 1 cm breit absteppen. Passen Sie dabei die Farbe des Nähgarns in der Spule und in der Nadel an, sodass die Naht zweifarbig ist – auf der Tasche weiß, auf dem Besatz schwarz. Anschließend die Tasche 5 cm vom Taschenrand entfernt (ca. 0,5 cm unterhalb des Besatzes) ringsum doppelt absteppen.

7. Die Position der Ösen mithilfe des Schnittmusters bestimmen und die Ösen nach Herstellerangabe anbringen.

8. Jeweils 18 cm an den Enden des Gurtbands abmessen und mit einer Nadel markieren. Das Gurtband durch die Ösen fädeln. Dabei beachten, dass es sich nicht verdreht. Die Enden 2 cm weit umschlagen, an den Markierungen auf dem Band feststecken und mit einer Quernaht festnähen. Nähen Sie dabei ruhig mehrmals vor und zurück, damit die Naht sicher hält.

TIPP

Mit einem einfachen Trageriemen aus Gurtband ist diese Tasche auch für Anfänger sehr gut geeignet. Einfach die Enden des Gurtbands einschlagen und rechts und links oben an die Taschenseiten nähen.

ASYMMETRISCHE JEANSTASCHE

GRÖSSE: 34 cm breit (Boden), 27 cm hoch | SCHWIERIGKEITSGRAD: ★★☆

Eine originelle, mittelgroße Handtasche, die dank Jeans und Lederelementen zudem robust ist und jeden Spaß mitmacht. Ihr asymmetrischer Look macht sie besonders schick und zum perfekten Begleiter für Flohmarkt und Festival.

✂ **Schnittmuster: Bogen A**

MATERIAL

- Jeansstoff in Marineblau, 142 cm breit, 90 cm lang
- Bügelvlies, stark, 90 cm breit, 45 cm lang
- Karton, 2 mm stark, 6 x 33 cm
- Lederband in Schwarz, 3 x je 0,5 cm breit, 330 cm lang
- Lederimitat-Fransenband in Schwarz, 2 x je 11 cm breit, 10 cm lang
- farblich passendes Nähgarn
- Textilkleber

SO WIRD'S GEMACHT

Zuschneiden:

- aus Jeansstoff in Marineblau: 2 x Tasche (plus 1 cm Nahtzugabe); 2 x Schlaufe, 8 cm breit, 12 cm lang
- aus Bügelvlies: 1 x Tasche (plus 0,5 cm Nahtzugabe)

1. Für das Futter ein Schnittteil Tasche auf der linken Seite mit Bügelvlies verstärken. Danach auf der linken Seite des Futters den zugeschnittenen Karton mittig zwischen den Markierungen für den Taschenboden feststecken. Rundum knappkantig aufnähen.

2. Die Längskanten der Schlaufen rechts auf rechts aufeinanderlegen und zusammennähen. Die Schlaufen auf rechts wenden und bügeln, danach die Längskanten jeweils füßchenbreit absteppen. Die Schlaufen jeweils doppelt legen und entsprechend der Markierungen auf der rechten Stoffseite des zweiten Taschenteils feststecken. Die offenen Enden der Schlaufen sind dabei bündig zur Nahtzugabe.

3. Die Unterkante des zweiten Taschenteils an die Knickkante der Taschenklappe falten, die Seitenkanten feststecken und zusammennähen. Dabei an den Stellen mit den Schlaufen mehrmals vor- und zurücknähen. Mit dem Schnittteil für das Futter ebenso verfahren, dabei aber an einer Seite mittig eine ca. 20 cm breite Wendeöffnung lassen. Die Nahtzugaben auseinanderbügeln.

4. Nun die Tasche und das Futter hinstellen und dabei auf dem Stoffbruch aufsetzen. Dadurch knicken sich links und rechts die Ecken zu Spitzen ab. An allen Spitzen im rechten Winkel zur Seitennaht eine Linie anzeichnen und entlang dieser die Spitzen absteppen.

5. Die Tasche und das Futter rechts auf rechts ineinanderschieben und den oberen Taschenrand einschließlich der Taschenklappe zusammennähen. Die Nahtzugaben auseinanderbügeln.

6. Die Tasche durch die Wendeöffnung auf rechts ziehen, die Wendeöffnung schließen und das Futter in die Tasche schieben. Den oberen Rand und die Klappe bügeln.

7. Die drei Lederbänder jeweils dreifach legen und locker zu einem Trageriemen flechten. Anfang und Ende an den Schlaufen der Tasche festknoten und die Knoten in den Schlaufen verstecken.

8. Aus den Lederimitat-Fransenbändern jeweils ein Röllchen formen und für die spätere Aufhängung der Quaste mittig vier Fransen nach oben stehen lassen. Mit Textilkleber oder ein paar Stichen von Hand fixieren. Die Quasten jeweils mit den vier nach oben stehenden Fransen an den Trageriemen knoten.

8

LEINENTASCHE „KATZE AN BORD"

GRÖSSE: 37 cm breit, 32 cm hoch | SCHWIERIGKEITSGRAD: ★★★

Wer geht schon gerne alleine shoppen? Mit dieser praktischen und stabilen Umhängetasche aus robustem Leinen haben Sie nicht nur jede Menge Stauraum für Ihre Einkäufe, die süße kleine Fleecekatze ist zudem ein witziger Begleiter und sorgt garantiert für neugierige Blicke.

✂ **Schnittmuster: Bogen A**

MATERIAL

Für die Tasche:

- Leinen in Senf, 138 cm breit, 75 cm lang
- Popeline in Hellgrau-Weiß gestreift, 139 cm breit, 55 cm lang
- Bügelvlies, mittelschwer, 90 cm breit, 100 cm lang
- Karton, 2 mm stark, 8 x 38 cm
- farblich passendes Nähgarn

Für die Katze:

- Fleece in Weiß, 150 cm breit, 20 cm lang
- Filzreste in Schwarz
- 100 g Füllwatte
- 2 gestickte Augen, ø 19 mm
- Sticknadel und Stickgarn in Schwarz

SO WIRD'S GEMACHT

TASCHE

Zuschneiden:

- aus Leinen in Senf: 1 x Tasche im Stoffbruch (plus 1 cm Nahtzugabe); 1 x Außentasche (plus 1 cm Nahtzugabe); 1 x Träger, 6 cm breit, 117 cm lang
- aus Popeline in Hellgrau-Weiß gestreift: 1 x Futter im Stoffbruch (plus 1 cm Nahtzugabe); 1 x Außentasche (plus 1 cm Nahtzugabe); 1 x Träger, 5,5 cm breit, 117 cm lang
- aus Bügelvlies: 1 x Tasche im Stoffbruch

1. Die Tasche auf der linken Stoffseite mit Bügelvlies verstärken. Die seitlichen Falze entsprechend der Markierungen nach hinten umschlagen und bügeln.

2. Die Schnittteile für die Außentasche rechts auf rechts bis auf eine Wendeöffnung zusammennähen. Wenden und die Öffnung schließen. Dann die Außentasche mithilfe des Schnittmusters auf die Tasche stecken und aufnähen. Dabei unten zwischen den Markierungen eine Öffnung lassen.

3. Den Karton auf der linken Stoffseite des Futters knappkantig auf den Taschenboden nähen. Für mehr Halt zusätzlich diagonal von Ecke zu Ecke nähen.

4. Das Futter rechts auf rechts an den angeschnittenen Besatz der Tasche nähen. Die Nahtzugaben zum Futter hin bügeln, dann die Naht von rechts einmal knappkantig und einmal füßchenbreit auf der Nahtzugabe absteppen.

5. Die letzten beiden Nähte so übereinanderlegen, dass Tasche auf Tasche und Futter auf Futter rechts auf rechts liegen. Die Seitenkanten bis auf eine Wendeöffnung im Futter schließen. Die Nahtzugaben auseinanderbügeln.

6. An Tasche und Futter jeweils die offenen Seiten am Boden schließen. Die Tasche wenden und die Wendeöffnung schließen.

7. Das Futter in die Tasche schieben, sodass der angeschnittene Besatz bis zur gestrichelten Linie (siehe Schnittmuster) in die Tasche gezogen wird. Die Kante feststecken und rundum füßchenbreit und mit 4 cm Abstand zur oberen Kante absteppen. Nun die seitlichen Falzkanten füßchenbreit absteppen. Dabei das Futter mitfassen.

8. Die Zuschnitte für den Träger an einer Längskante rechts auf rechts zusammennähen. Den Träger auf rechts wenden, bügeln und die Kante füßchenbreit absteppen. An der noch offenen Längskante die Nahtzugabe einschlagen und bügeln. Die zweite Kante ebenfalls füßchenbreit absteppen, dabei das kürzere Futter mitfassen, sodass die Kante geschlossen wird.

9. Für die spitze Form der Trägerenden die Schmalseiten jeweils rechts auf rechts mittig zusammenlegen, feststecken und die offene Kante absteppen. Auf rechts wenden und die Spitze ausformen. Mit einer Quernaht fixieren.

10. Jeweils 15 cm an den Enden des Trägers abmessen und mit einer Nadel markieren. Die Enden mit der Markierung an der seitlichen oberen Kante anlegen und auf den Seiten feststecken. Durch Aufnähen eines Rechtecks fixieren. Höhe und Breite des Rechtecks richtet sich nach den Steppnähten der Träger und der oberen Taschenkante. Für mehr Stabilität außerdem quer von Ecke zu Ecke des Rechtecks nähen. Der untere Teil der Trägerenden bleibt lose hängen.

KATZE

Zuschneiden:

- aus Fleece in Weiß: 2 x Katze
- aus Filz in Schwarz: 1 x Bauchfleck, 1 x Nase

1. Auf dem Schnittteil für die Vorderseite der Katze den Bauchfleck, die Nase und die Augen aufnähen.

2. Beide Schnittteile links auf links aufeinanderlegen und rundum bis auf eine Öffnung zum Befüllen zusammennähen. Die Katze mit Füllwatte ausstopfen und die Öffnung schließen.

3. Abschließend das Gesicht von Hand aufsticken und die Katze für die nächste gemeinsame Shoppingtour in die Tasche setzen.

FUCHSBEUTEL

GRÖSSE: 27 cm breit, 35 cm hoch | SCHWIERIGKEITSGRAD: ★★★

Füchse sind ja in der Regel scheue Tiere – doch dieser hier liebt Shopping! Zwar schlägt er schüchtern die Augen nieder, aber innerlich ist er schon ganz wild darauf, von Ihnen mit neuer Einkaufsbeute gefüllt zu werden. Die fuchsige Tasche aus Canvas und Filz wird der Hingucker auf Ihrer nächsten Shoppingtour!

✂ **Schnittmuster: Bogen B**

MATERIAL

- Canvas in Orange, 140 cm breit, 40 cm lang
- Filz in Weiß, 3 mm stark, 90 cm breit, 20 cm lang
- Filzrest in Schwarz
- Gurtband in Türkis, 2,5 cm breit, 2 x 60 cm lang
- farblich passendes Nähgarn
- Stickgarn in Schwarz
- Sticknadel

SO WIRD'S GEMACHT

Zuschneiden:

- aus Canvas in Orange: 2 x Tasche im Stoffbruch (plus 1 cm Nahtzugabe)
- aus Filz in Weiß: 1 x Fuchsgesicht
- aus Filz in Schwarz: 1 x Nase

1. Die Taschenteile jeweils im Stoffbruch links auf links zusammenfalten und die Bruchkante bügeln. Wieder öffnen.

2. Das Fuchsgesicht auf eine Taschenseite auflegen und so positionieren, dass es unten an die Bruchkante stößt. Rechts und links vom Gesicht bleibt etwas Canvas zu sehen. Dadurch lässt sich die Tasche später leichter zusammennähen und gleichzeitig wirkt das Gesicht plastischer.

3. Das Gesicht feststecken und knappkantig aufnähen. Danach die Nase des Fuchses aufstecken (siehe Schnittmuster) und mit der Maschine oder von Hand aufnähen. Die Augen entsprechend dem Schnittmuster mit einem Bleistift leicht anzeichnen und mit dem Stickgarn aufsticken.

4. Die Tasche mit dem Fuchsgesicht rechts auf rechts legen und die Seitenkanten schließen. Mit der zweiten Tasche für das Futter ebenso verfahren, jedoch auf einer Seite mittig eine Öffnung von ca. 15 cm zum Wenden lassen.

5. Die Gurtbänder entsprechend der Markierungen auf der rechten Seite der Außentasche aufstecken. Dabei schauen die Enden ca. 2 cm über den oberen Rand hinaus. Jetzt die Tasche und das Futter rechts auf rechts ineinanderstecken, die Henkel liegen dabei zwischen Tasche und Futter. Dann den oberen Rand feststecken und ringsum zusammennähen. Zum besseren Halt auf Höhe der Träger mehrmals vor- und zurücknähen.

6. Die Tasche wenden, die Wendeöffnung schließen und das Futter in die Tasche schieben.

7. Den oberen Taschenrand bügeln und anschließend im Abstand von 3 cm zur oberen Kante ringsum absteppen. So können Tasche und Futter nicht mehr an der Kante verrutschen.

TIPP

Zum Anbringen der Filzteile kann anstatt eines Geradstichs (siehe Foto) auch gern ein Zickzackstich verwendet werden.

SPORTLICHER SHOPPER

GRÖSSE: 50 cm breit (oben), 40 cm hoch | SCHWIERIGKEITSGRAD: ★★★

Nach dem Büro zum Sport und danach noch schnell was einkaufen? Kein Problem mit dieser sportlich-geräumigen Kombi aus Shopper und Yogatasche. Die breiten Gurtbänder in Knallfarben und der Taschenboden aus Lackstoff machen die Tasche auch optisch zum Hit!

✂ **Schnittmuster: Bogen A**

MATERIAL

- Baumwollstoff in Hellgrau gemustert, 140 cm breit, 40 cm lang
- Popeline in Pink-Weiß gestreift, 139 cm breit, 100 cm lang
- Lackstoff in Schwarz, 139 cm breit, 70 cm lang
- Bügelvlies, mittelstark, 90 cm breit, 40 cm lang
- Karton, 2 mm stark, 28 x 8 cm
- Gurtband in Pink, 4 cm breit, 330 cm lang
- farblich passendes Nähgarn

SO WIRD'S GEMACHT

Zuschneiden:

- aus Baumwollstoff in Hellgrau gemustert: 1 x Tasche Stoff (plus 1 cm Nahtzugabe)
- aus Popeline in Pink-Weiß gestreift: 1 x Tasche Futter im Stoffbruch (plus 1 cm Nahtzugabe)
- aus Lackstoff in Schwarz: 1 x Tasche Futter + Tasche Lack (plus 1 cm Nahtzugabe, Zuschnitt siehe Schritt 1)
- aus Bügelvlies : 1 x Tasche Stoff
- Gurtband in Pink: 1 x Träger vorn, 155 cm lang; 1 x Träger hinten, 175 cm lang

1. Für den Zuschnitt des Lackstoffes die Schnittteile Tasche Lack und Tasche Futter an den angegebenen Kanten zusammensetzen. Mit 1 cm Nahtzugabe zuschneiden.

2. Den Taschenzuschnitt Stoff auf der linken Stoffseite mit dem Bügelvlies verstärken. Anschließend rechts auf rechts an den Zuschnitt Tasche Lack nähen. Die Nahtzugaben zum Stoff hin legen und von rechts füßchenbreit feststeppen.

3

3. Das Gurtband für den Träger hinten an einem Ende 1 cm weit einschlagen und knapp unter dem Ansatz zwischen Lack- und Baumwollstoff an der Markierung aufstecken. Auf der Rückseite bis zur oberen Kante feststecken. Jetzt 50 cm für den Träger abmessen, den Rest parallel zur ersten Seite auf die Tasche stecken. Das Ende ggf. kürzen und 1 cm weit eingeschlagen feststecken. Den Träger knappkantig aufnähen, dabei auf der Rückseite noch nicht bis zur oberen Kante der Tasche nähen, sondern die oberen 4 cm gesteckt lassen!

4. Am Gurtband für den Träger vorn an einem Ende 15 cm abmessen und markieren. Mit der Markierung am Ansatz zwischen Lack- und Baumwollstoff anlegen und 5 cm weit auf der Markierung im Schnittmuster nach oben feststecken. Für die Yogamatte am Träger 25 cm abmessen und markieren. Die Markierung 6 cm unterhalb der oberen Kante anlegen und den Träger bis zum Taschenrand feststecken. Jetzt 50 cm für den Träger abmessen, den Rest parallel zur ersten Seite auf die Tasche stecken. Das lose Ende auf 15 cm kürzen.

5. Den festgesteckten Teil des Trägers am Ansatz zwischen Lack- und Baumwollstoff jeweils mit einem Rechteck knappkantig aufnähen. Der festgesteckte Teil oben wird noch nicht aufgenäht!

6. Die losen Enden des Trägers jeweils rechts auf rechts mittig falten und die offene Kante knappkantig absteppen. Auf rechts wenden, die Spitze ausformen und mit einer Quernaht fixieren.

7. Den Karton für den Taschenboden mittig auf der linken Stoffseite des Futters (Baumwollstoff in Pink-Weiß) auflegen und knappkantig festnähen. Für mehr Halt zusätzlich diagonal von Ecke zu Ecke nähen.

8. An Futter und Außentasche die Seitenkanten schließen. Dabei am Futter an einer Seite eine ca. 15 cm lange Wendeöffnung lassen. Die Nahtzugaben auseinanderbügeln.

9. Am Taschenboden der Außentasche die Mitte markieren. Die Tasche hinstellen und auf dieser Markierung aufsetzen. Dadurch knicken sich die Ecken links und rechts zu Spitzen ab. Die Spitzen jeweils mit einer 10 cm langen Quernaht abnähen. Mit den Ecken des Futters ebenso verfahren.

10. Außentasche und Futter rechts auf rechts ineinanderstecken und an der oberen Kante ringsum zusammennähen. Dazu die festgesteckten Träger ggf. ein Stück lösen, damit sie nicht mitgefasst werden. Die Tasche wenden, die Wendeöffnung schließen und das Futter in die Tasche schieben. Den Rand ringsum 1 cm breit absteppen.

11. Zuletzt die Gurtbänder am Rand festnähen. Dazu die Träger ggf. wieder feststecken. Die Träger hinten knappkantig durch Außentasche und Futter aufnähen. Die Träger vorn durch Aufsteppen eines Rechtecks fixieren und zusätzlich diagonal von Ecke zu Ecke nähen.

ZWEI ZITRONENTASCHEN

GRÖSSE: große Tasche 40 cm breit, 20 cm hoch; kleine Tasche 24 cm breit, 12 cm hoch
SCHWIERIGKEITSGRAD: große Tasche ★★★, kleine Tasche ★★☆

Diese fruchtige Kombi ergänzt sich perfekt und sorgt mit ihrem fröhlichen Gelb selbst im Wintergrau für Sommerfeeling. Die originelle Zitronen-Handtasche kommt mit einem Kettenriemen für die Schulter daher, die kleinere Zitrone begleitet Sie als Clutch auf Partys und andere Events.

✂ **Schnittmuster: Bogen A**

MATERIAL

Große Tasche:
- Filz in Hellgelb, 3 mm stark, 90 cm breit, 100 cm lang
- Filz in Weiß, 3 mm stark, 90 cm breit, 25 cm lang
- Canvas in Weiß, 140 cm breit, 30 cm lang
- Bügelvlies, beidseitig haftend, 90 cm breit, 30 cm lang
- Reißverschluss in Hellgelb, 35 cm lang
- 1 Gliederkette in Silber, 15 mm stark, 100 cm lang
- 2 Karabinerhaken in Silber mit Gurtsteg, 3 cm breit
- farblich passendes Nähgarn

Kleine Tasche:
- Filz in Hellgelb, 3 mm stark, 90 cm breit, 20 cm lang
- Filz in Weiß, 3 mm stark, 90 cm breit, 20 cm lang
- Bügelvlies, beidseitig haftend, 90 cm breit, 20 cm lang
- Reißverschluss in Hellgelb, 20 cm lang
- farblich passendes Nähgarn

SO WIRD'S GEMACHT

GROSSE TASCHE

Zuschneiden:

- aus Filz in Hellgelb: 2 x Tasche (plus 2 cm Nahtzugabe an den Seiten für den Reißverschluss, sonst 1 cm Nahtzugabe); 1 x Steg, 6 cm breit, 66 cm lang; 2 x Schlaufe, 6 cm breit, 8 cm lang
- aus Canvas in Weiß: 2 x Tasche (plus 2 cm Nahtzugabe an den Seiten für den Reißverschluss, sonst 1 cm Nahtzugabe); 1 x Steg, 6 cm breit, 66 cm lang
- aus Filz in Weiß: 1 x Applikation (siehe Schritt 1)
- aus Bügelvlies, beidseitig haftend: 1 x Applikation (siehe Schritt 1)

1. Für die Applikation das Bügelvlies mit der rauen Seite auf die linke Seite des weißen Filzes aufbügeln. Das Schnittmuster auf die glatte Papierseite übertragen und exakt ausschneiden. Das Trägerpapier abziehen und den Zuschnitt auf die rechte Stoffseite eines Filz-Taschenteils bügeln. Alle Kanten mit Zickzackstich absteppen.

2. Die Filz-Taschenteile rechts auf rechts aufeinanderlegen. An der Reißverschlusskante mit 2 cm Nahtzugabe rechts und links je 3 cm weit zusammennähen und bügeln. Den Reißverschluss zwischen den Nähten rechts auf rechts an die Nahtzugaben stecken und festnähen.

3. Für das Futter die Canvas-Taschenteile an der Reißverschlusskante mit 2 cm Nahtzugabe rechts und links jeweils 2,5 cm weit zusammennähen. Den Canvas-Steg entlang der Rundung auf ein Taschenteil nähen. Dabei an der Ansatzlinie des angeschnittenen Stegs beginnen und enden. Die zweite Seite ebenso aufnähen. Dabei eine ca. 15 cm große Wendeöffnung lassen. Zuletzt die Schmalseiten des Stegs rechts auf rechts an den angeschnittenen Steg nähen. Dazu die Nahtzugabe an den Ecken einschneiden.

4. Den Filz für die Schlaufen der Länge nach mittig falten, wieder öffnen, die Seiten bis zur Mitte einschlagen und wieder schließen. Beide Längskanten knappkantig absteppen. Jeweils einen Karabinerhaken aufziehen und die Schlaufen doppeltlegen. Die Schlaufen rechts und links des Reißverschlusses auf der rechten Stoffseite der Filz-Tasche aufnähen. Die offenen Enden sind dabei bündig zur Außenkante.

5. Den Filz-Steg wie in Schritt 3 beschrieben annähen, jedoch ohne Wendeöffnung.

6. Das Futter rechts auf links am Reißverschluss annähen. Die Tasche wenden, die Wendeöffnung schließen und das Futter in die Tasche schieben.

7. Auf der rechten Seite der Tasche den Reißverschluss ringsum füßchenbreit absteppen. Dabei auch das Futter mitfassen.

8. Zum Schluss die Gliederkette an den Karabinerhaken einhängen.

KLEINE TASCHE

Zuschneiden:

- aus Filz in Hellgelb: 2 x Tasche (plus 2 cm Nahtzugabe an den Seiten für den Reißverschluss, sonst 1 cm Nahtzugabe)
- aus Filz in Weiß: 1 x Applikation (siehe Schritt 1, große Tasche)
- aus Bügelvlies, beidseitig haftend: 1 x Applikation (siehe Schritt 1, große Tasche)

1. Die Applikation und den Reißverschluss wie bei der großen Tasche in Schritt 1 und 2 beschrieben anbringen. Dabei die Längskanten jedoch rechts und links nur je 2,5 cm weit zusammennähen. Den Reißverschluss auf der rechten Seite ringsum knappkantig absteppen.

2. Beide Taschenteile rechts auf rechts aufeinanderlegen und die offenen Kanten entlang der Rundung zusammennähen.

3. Die oberen Ecken der Tasche so falten, dass die Reißverschlussnaht und die Seitennaht rechts auf rechts aufeinanderliegen. Anschließend jeweils 1 cm von der Spitze entfernt mit einer Quernaht die Ecken abnähen. Die Nahtzugabe an der Ecke vorsichtig zurückschneiden und die Zitronentasche über die Reißverschlussöffnung auf die rechte Seite wenden.

WOLKENRUCKSACK MIT KORK

GRÖSSE: 40 x 40 cm | SCHWIERIGKEITSGRAD: ★★★

Dieser wundervolle Rucksack wird garantiert Ihr neuer Überall-Hin-Begleiter. Dank Korkboden ist er schön stabil und leichter Schmutz lässt sich einfach mit einem feuchten Tuch wegwischen. In seinem Inneren ist jede Menge Platz für Arbeitsmaterialien, Verpflegung oder Lektüre für unterwegs – eben alles, was man so braucht.

✂ **Schnittmuster: Bogen A**

MATERIAL

- Popeline in Schwarz gemustert, 140 cm breit, 120 cm lang
- Kork Natural in Karamell, 70 cm breit, 50 cm lang
- Bügelvlies, mittelstark, 90 cm breit, 100 cm lang
- Reißverschluss in Schwarz, 40 cm lang (ggfs. 35 cm)
- Gurtband in Schwarz, 2 cm breit, 420 cm lang
- 4 D-Ringe in Altsilber, 2 cm breit
- Karton, 2 mm stark, 38 x 6 cm
- farblich passendes Nähgarn

SO WIRD'S GEMACHT

Zuschneiden:

- aus Popeline in Schwarz gemustert: 4 x Tasche (plus 1 cm Nahtzugabe); 2 x Klappe (plus 1 cm Nahtzugabe)
- aus Kork Natural in Karamell: 1 x Besatz Taschenboden (plus 1 cm Nahtzugabe an den Seiten) 2 x Blende für Gurtband, 2,5 cm x 5 cm
- aus Bügelvlies: 2 x Tasche; 1 x Klappe
- aus Gurtband: 2 x Träger, 180 cm lang; 1 x Henkel, 18 cm lang; 2 x Schlaufe, 8 cm lang

1. Zwei Taschenteile und eine Klappe auf der linken Stoffseite mit dem Bügelvlies verstärken.

2. Die Taschenteile ohne Bügelvlies für das Futter rechts auf rechts an der unteren Kante zusammennähen. Die Nahtzugabe auseinanderbügeln, den Karton mittig über der Nahtzugabe auflegen und knappkantig aufnähen.

3. Die Taschenteile mit Bügelvlies ebenso zusammennähen. Die Nahtzugabe auseinanderbügeln. Auf der rechten Seite den Korkbesatz links auf rechts feststecken und rundum knappkantig und füßchenbreit aufnähen.

4. Die Träger an den Markierungen für die Gurtbänder feststecken. Dazu an den Trägern jeweils 80 cm abmessen und markieren. Mit der Markierung an der Mitte des Taschenbodens feststecken (das kürzere Ende zeigt zur Vorderseite). Auf der Rückseite die Träger bis 2 cm über dem Korkbesatz, auf der Vorderseite bis zum Ende der Markierung knappkantig aufsteppen. Die Enden lose hängen lassen.

5. Für den Reißverschluss die Außentasche rechts auf rechts legen und die obere Kante rechts und links je 2,5 cm weit zusammennähen. Die Nahtzugaben auseinanderbügeln. Den Reißverschluss rechts auf rechts auf die Nahtzugaben stecken und aufnähen. Das Futter rechts auf links an den Reißverschluss nähen. Auf der rechten Seite den Reißverschluss rundum knappkantig absteppen.

6. Die Tasche auf links wenden, sodass jeweils Tasche auf Tasche und Futter auf Futter rechts auf rechts liegen. Die Seitenkanten schließen, dabei auf einer Seite des Futters eine Wendeöffnung lassen.

7. Jeweils die seitlichen Kanten am Taschenboden rechts auf rechts zusammenstecken und schließen. Die Tasche wenden, die Wendeöffnung schließen und das Futter in die Tasche schieben.

8. Die noch lose hängenden Gurtbänder auf der Rückseite der Tasche an die Körpergröße anpassen, 2 cm zugeben und abschneiden. Die Enden 2 cm weit einschlagen und mit zwei Quernähten an den Markierungen „Träger (Rückseite)" aufnähen.

9. An den Gurtbändern auf der Vorderseite von der Naht an 8 cm abmessen und markieren. Jeweils einen D-Ring auffädeln, dann die Bänder zur Schlaufe legen und mit der Markierung knapp neben der Naht auf der Tasche festnähen. Die Schlaufen auf die losen Enden legen und knapp unter dem D-Ring durch alle drei Lagen abnähen. Die losen Enden auf 25 cm Länge kürzen. Die Blenden an den Schmalseiten 1 cm weit einschlagen, um die Enden legen und knappkantig absteppen.

9

10. Für die Klappe je einen D-Ring auf die Zuschnitte für die Schlaufen fädeln und diese doppelt legen. Mit den offenen Enden bündig zur Außenkante an den Markierungen auf die rechte Seite einer Klappe stecken und festnähen.

11. Die Klappen rechts auf rechts rundum bis auf eine Wendeöffnung zusammennähen. An den Ecken die Nahtzugaben zurückschneiden. Die Klappe wenden und ringsum knappkantig absteppen. Die Klappe auf der Rückseite der Tasche 2 cm unterhalb der Reißverschlusskante links auf rechts feststecken und annähen.

12. Zuletzt den Henkel an den Enden 1,5 cm weit einschlagen und an den Markierungen auf die Rückseite der Tasche stecken. Beide Enden durch Aufnähen eines 1 x 2,5 cm großen Rechtecks fixieren.

BEUTEL IM ORIGAMILOOK

GRÖSSE: 40 cm breit, 50 cm hoch | SCHWIERIGKEITSGRAD: ★★★

Turnbeutel sind nach wie vor ein großer Trend als Ersatz für den klassischen Rucksack. Dieser Beutel aus weichem Jersey und Popeline mit fröhlichem Origami-Muster hat ein praktisches Extrafach für Sonnenbrille, Handy oder andere Kleinigkeiten. Perfekt für den Stadtbummel, relaxte Stunden im Park oder auch als trendy Geschenkidee.

✂ **Schnittmuster: Bogen A**

MATERIAL

- Popeline in Apfelgrün gestreift, 139 cm breit, 100 cm lang
- Jersey in Hellgrau, 147 cm breit, 40 cm lang
- Bügelvlies, mittelstark, 90 cm breit, 70 cm lang
- Reißverschluss in Weiß, 20 cm lang
- Kordel in Hellgrün, 5 mm stark, 2 x 200 cm lang
- farblich passendes Nähgarn
- kleine, spitze Schere
- Sicherheitsnadel

SO WIRD'S GEMACHT

Zuschneiden:

- aus Popeline in Apfelgrün gestreift: 2 x Taschenunterteil (plus 1 cm Nahtzugabe); 1 x Innentasche im Stoffbruch (plus 1 cm Nahtzugabe); 2 x Futter, 40 cm breit, 53 cm lang (plus 1 cm Nahtzugabe); 2 x Schlaufen, 3 cm breit, 8 cm lang; 2 x Streifen für Tunnelzug, 8 cm breit, 44 cm lang
- aus Jersey in Hellgrau: 2 x Taschenoberteil (plus 1 cm Nahtzugabe)
- aus Bügelvlies: 2 x Taschenunterteil; 2 x Taschenoberteil

1. Die Taschenunterteile und -oberteile auf der linken Seite mit Bügelvlies verstärken.

2. Die Markierungen für die Innentasche und den Reißverschluss mithilfe des Schnittmusters auf der linken Seite eines Taschenunterteils anzeichnen. Den Zuschnitt für die Innentasche öffnen und entsprechend der Markierung rechts auf rechts auf das Taschenunterteil stecken. Das Rechteck für die Öffnung der Innentasche ringsum absteppen. Dann mit einer kleinen, spitzen Schere das Rechteck entlang der gestrichelten Linien (siehe Schnittmuster) bis in die Ecken einschneiden. Die Innentasche durch die Öffnung auf die linke Seite ziehen und bügeln. Den Reißverschluss hinter die Öffnung stecken und von rechts ringsum füßchenbreit aufnähen. Auf der linken Seite die Innentasche im Bruch nach oben falten. Die Seiten und die obere Kante der Innentasche schließen.

3. Die Schlaufen jeweils mittig links auf links der Länge nach falten und bügeln. Wieder öffnen, dann die Seiten bis zur Mitte einschlagen und bügeln. Die Schlaufen wieder schließen und die Längskanten knappkantig absteppen. Die Schlaufen mittig falten und an den Markierungen an das Taschenunterteil nähen. Dabei stehen die offenen Schlaufenenden 1 cm über die Seitenkante hinaus.

4. Je ein Taschenoberteil und Taschenunterteil rechts auf rechts zusammennähen. Dabei die obere Stoffkante der Innentasche mitfassen. Die Nahtzugabe zum Oberteil hin bügeln und von rechts füßchenbreit absteppen.

5. An den Streifen für den Tunnelzug die Schmalseiten 1 cm weit doppelt nach links einschlagen und festnähen. Die Streifen jeweils der Länge nach links auf links mittig falten, bügeln und die Bruchkante 1 cm breit absteppen. Je einen Streifen mit der offenen Längskante rechts auf rechts mittig an die obere Kante eines Taschenteils stecken. Jeweils ein Futterteil rechts auf rechts auflegen, an der oberen Kante feststecken und die obere Kante nähen.

6. Beide Taschen-Futter-Teile öffnen und so aufeinanderlegen, dass Futter auf Futter und Tasche auf Tasche rechts auf rechts aufeinanderliegen. Alle Seiten ringsum feststecken und rundherum zusammennähen. Dabei jedoch an der Tasche die seitlichen Öffnungen für den Tunnelzug beachten und am Futter eine Wendeöffnung lassen. Die Tasche wenden, die Wendeöffnung schließen und das Futter in die Tasche schieben.

7. Die obere Kante entsprechend dem Schnittmuster rundum zweimal für den Tunnelzug abnähen. Die erste Kordel von rechts mit der Sicherheitsnadel durch den gesamten Tunnel ziehen und rechts wieder nach draußen führen. Die zweite Kordel gegengleich einziehen. Jeweils ein Ende unten durch die Schlaufe führen und die Kordeln mit einem Knoten fixieren.

TIPP

Wenn Sie die verdeckte Innentasche weglassen, eignet sich dieses Modell sehr gut für Nähanfänger!

7

FALTRUCKSACK MIT DINOS

GRÖSSE: 45 cm breit, 45 cm hoch | SCHWIERIGKEITSGRAD: ★★★

Dieser Rucksack aus Kunstleder oben und Baumwollstoff mit lustigem Muster unten fasst zwar keinen ganzen Dinosaurier, aber es geht trotzdem eine Menge rein. Ist der Rucksack nur halbvoll, wird der obere Teil einfach wie eine Klappe nach unten gefaltet; muss mehr hineinpassen, lässt er sich auch bis zur Spitze füllen. Ein echter Rucksack für alle Gelegenheiten.

✂ **Schnittmuster: Bogen B**

MATERIAL

- Nappalederimitat in Rotbraun, 137 cm breit, 50 cm lang
- Baumwollstoff in Lila gemustert, 150 cm breit, 95 cm lang
- Bügelvlies, stark, 90 cm breit, 50 cm lang
- Karton, 2 mm stark, 33 x 10 cm
- Gurtband in Creme, 2 cm breit, 2 x 100 cm lang
- Reißverschluss in Terracotta, 30 cm lang
- Klettverschluss in Weiß, 2 x je 2 cm breit, 7 cm lang
- Ledernadel oder Nadelstärke mind. 100
- Klammern zum Feststecken des Kunstleders
- farblich passendes Nähgarn

SO WIRD'S GEMACHT

Hinweis: Beim Nähen mit Kunstleder sehr vorsichtig arbeiten, weil die Stichlöcher falscher Nähte später sichtbar bleiben.

Zuschneiden:

- aus Nappalederimitat in Rotbraun: 1 x vorderes Oberteil; 1 x rückwärtiges Oberteil (jeweils plus 2 cm Nahtzugabe an der Reißverschlusskante, sonst plus 1 cm Nahtzugabe); 2 x Gurtbesatz, 3 x 3 cm
- aus Baumwollstoff in Lila gemustert: 2 x Unterteil (plus 1 cm Nahtzugabe); 2 x Futter (plus 2 cm Nahtzugabe an der Reißverschlusskante, sonst plus 1 cm Nahtzugabe)
- aus Bügelvlies: 2 x Unterteil

1. Die Unterteile auf der linken Seite mit Bügelvlies verstärken. Beide Schnittteile rechts auf rechts aufeinanderlegen und die Bodennaht schließen. Die Nahtzugaben auseinanderbügeln.

2. Jeweils ein Oberteil rechts auf rechts an die obere Kante eines Unterteils stecken und annähen. Auf der rechten Seite die Nähte füßchenbreit absteppen.

3. Danach die Flauschteile des Klettbands auf der rechten Seite des vorderen Taschenoberteils aufnähen (siehe Schnittmuster). Auf der Rückseite der Tasche die Gurtbänder anbringen. Dazu die Enden 1 cm weit einschlagen und an der Markierung am Unterteil festnähen. Dabei mehrmals vor- und zurücknähen. Jeweils von der Naht aus eine Trägerlänge von 55 cm abmessen und markieren. Die Gurtbänder mit der Markierung am unteren Ende der Gurtband-Markierung des rückwärtigen Oberteils aufstecken, aber noch nicht aufnähen. Die Trägerenden bleiben lose hängen.

4. Die Tasche rechts auf rechts aufeinanderlegen und die Seitenkanten inklusive der schrägen Kanten der Taschenklappe zusammennähen. Die Nahtzugaben zurückschneiden. Anschließend die seitlichen Kanten am Taschenboden schließen.

5. Die Futterteile rechts auf rechts aufeinanderlegen und die Bodennaht schließen. Die Nahtzugabe auseinanderbügeln. Auf der linken Seite des Futters den Karton für den Innenboden mittig auflegen und rundherum festnähen. Für mehr Halt zusätzlich diagonal ein Kreuz nähen. Die Seitenkanten des Futters wie bei der Tasche zusammennähen, dabei auf einer Seite eine Wendeöffnung von ca. 15 cm lassen. Die seitlichen Kanten am Taschenboden schließen.

6. Die Tasche auf links wenden. Die Reißverschlusskante mit 2 cm Nahtzugabe rechts und links jeweils 2,5 cm weit zusammennähen. Den leicht geöffneten Reißverschluss rechts auf rechts bündig an die Nahtzugabe stecken und einnähen. Danach das Futter rechts auf links an den Reißverschluss nähen. Die Tasche wenden, die Wendeöffnung schließen und das Futter in die Tasche schieben. Anschließend den Reißverschluss auf der rechten Seite einmal ringsum füßchenbreit absteppen.

6

7. Die aufgesteckten Gurtbänder am rückwärtigen Oberteil durch Außentasche und Futter knappkantig feststeppen. Dabei die Naht an den Schmalseiten des Rechtecks gut verriegeln.

8. Ab der Naht 13 cm von den lose hängenden Gurtbändern abmessen und die Bänder entsprechend kürzen. Die Gurtbesätze zu Dreiecken zusammenlegen, um die Enden der losen Gurtbänder legen und aufnähen. Zuletzt an jedem Ende ein Stück Klettband auf die Rückseite nähen, sodass sich die Tasche schließen lässt.

RUCKSACK-SHOPPER 2 IN 1

GRÖSSE: 46 cm hoch, 65/33 cm breit (Shopper/Rucksack im Original) | SCHWIERIGKEITSGRAD: ★★★

Die 2-in-1-Idee dieser stylischen Tasche ist einfach genial: Mit geschlossenem Reißverschluss lässt sie sich bequem als Rucksack tragen, bei geöffnetem Reißverschluss ist sie als Shopper ein wahres Raumwunder. Der robuste Outdoorstoff macht sie zudem so richtig strapazierfähig.

✂ **Schnittmuster: Bogen A**

MATERIAL

- Outdoor-Dekostoff in Wollweiß, 160 cm breit, 105 cm lang
- Popeline in Gelb gepunktet, 139 cm breit, 105 cm lang
- 2 Perlon-Reißverschlüsse in Weiß, 25 cm lang
- 1 Metall-Reißverschluss in Grau, teilbar, 40 cm lang
- 6 mit Popeline bezogene Knöpfe in Grün gepunktet, ø 1,5 cm
- farblich passendes Nähgarn

SO WIRD'S GEMACHT

Zuschneiden:

Hinweis: Sofern nicht anders angegeben alle Teile mit 2 cm Nahtzugabe zuschneiden.

- aus Outdoor-Dekostoff in Wollweiß: 1 x Rucksack im Stoffbruch; 1 x Getränketasche; 2 x Träger, 8 cm breit, 77 cm lang (inkl. 1 cm Nahtzugabe)
- aus Popeline in Grün gepunktet: 1 x Rucksack im Stoffbruch; 1 x Innentasche, 25 cm breit, 33 cm lang; 2 x Träger, 6 cm breit, 77 cm lang (inkl. 1 cm Nahtzugabe)

1. Die Innentasche und die Getränketasche rundum versäubern. Jeweils an der oberen Kante die Nahtzugabe und den Umschlag (bei der Innentasche 3 cm breit) nach links einschlagen und mit 2,5 cm bzw. 4,5 cm Abstand zur Kante absteppen. Die restlichen Nahtzugaben einschlagen und bügeln.

2. Die Innentasche an den Ansatzlinien im Schnittmuster links auf rechts knappkantig und 1 cm breit auf den Popeline-Rucksack (Futter) nähen.

3. Die Getränketasche an den Falzen links auf links falten, bügeln und wieder öffnen. Dann die unteren Ecken abnähen. Dazu die Falze an den Ecken jeweils rechts auf rechts aufeinanderlegen und auf der gebügelten Linie absteppen. Die Getränketasche an der Ansatzlinie im Schnittmuster auf der Außentasche positionieren und mit dem Falz links auf rechts knappkantig aufnähen.

4. Die seitlichen Kanten am Taschenboden der Außentasche schließen. Dann den Rucksack im Stoffbruch rechts auf rechts zusammenlegen. Den Metall-Reißverschluss teilen und je eine Hälfte 5 cm vom Taschenboden entfernt (siehe Markierung) an einer Seitenkante rechts auf rechts bündig feststecken. Die

Zähnchen zeigen zur Taschenmitte. Die offenen Seitenkanten schließen und dabei die Reißverschlussteile miteinnähen.

5. Die obere Kante der Außentasche seitlich jeweils 7,5 cm weit zusammennähen. Die Nahtzugaben auseinanderbügeln, dann die geöffneten Kunststoff-Reißverschlüsse jeweils rechts auf rechts bündig an die Nahtzugaben stecken. Darauf achten, dass die Reißverschlüsse in der Mitte aufeinandertreffen und die Schieber der geöffneten Reißverschlüsse sich außen an den Ecken befinden! Die Reißverschlüsse feststeppen.

6. Am Futter die seitlichen Kanten am Taschenboden und die Seitennähte bis auf eine Wendeöffnung schließen. Anschließend das Futter rechts auf links an die Reißverschlüsse am oberen Rand stecken und annähen. Die Tasche durch die Wendeöffnung wenden, die Wendeöffnung schließen und das Futter in die Tasche schieben.

6

7. Je einen Träger aus Outdoor-Dekostoff und Popeline rechts auf rechts an den Längskanten bündig zusammennähen. Dabei an einer Seite mittig eine Wendeöffnung lassen. Die Stoffe an den Enden so ausrichten, dass der Popeline-Träger mittig auf dem Träger aus dem Outdoor-Stoff liegt. Die Trägerenden spitz zulaufend aufeinandernähen. Die Nahtzugabe einschneiden und die Träger wenden. Die Träger rundum füßchenbreit absteppen und dabei die Wendeöffnung schließen.

8. An den Trägerenden jeweils 1,5 cm von der Spitze entfernt ein Knopfloch mit der Nähmaschine einnähen. Die Länge der Knopflöcher so wählen, dass die Knöpfe nicht zu leicht durchrutschen können. Am besten vorher mit einem Stoffrest eine Probe machen.

9. Die Knöpfe annähen: zwei Knöpfe entsprechend der Markierungen am oberen Rand der Vorderseite (mit Getränketasche), vier Knöpfe entsprechend der Markierung auf der Rückseite.

10. Rucksack oder Shopper? Je nach Wunsch den Metall-Reißverschluss öffnen oder schließen und die Träger an der Tasche festknöpfen.

RUCKSACK ODER SHOPPER

LÄSSIGER MATCHSACK

GRÖSSE: 26 cm breit, 40 cm hoch, Umfang 76 cm | SCHWIERIGKEITSGRAD: ★★★

Dieser Matchsack mit praktischem Zugverschluss ist eine super Alternative zum klassischen Rucksack. Dank seiner runden Form und dem Unterteil aus Kunstleder steht er stabil und lässt sich leicht befüllen. Und da er nicht schwer zu nähen ist und sich sparsam verstauen lässt, kann man hiervon auch gut zwei, drei Stück in Lieblingsfarben zu allen Outfits haben.

✂ **Schnittmuster: Bogen A**

MATERIAL

- Baumwollstoff in Weiß gemustert, 140 cm breit, 95 cm lang
- Lederimitat in Wollweiß, 137 cm breit, 50 cm lang
- Karton, 2 mm stark, 30 x 25 cm
- Baumwollkordel in Purpur, ø 5 mm, 480 cm lang + 2 x 8 cm lang
- farblich passendes Nähgarn

SO WIRD'S GEMACHT

Hinweis: Beim Nähen mit Kunstleder sehr vorsichtig arbeiten, weil die Stichlöcher falscher Nähte später sichtbar bleiben.

Zuschneiden:

- aus Baumwollstoff in Weiß gemustert: 1 x obere Tasche im Stoffbruch (plus 1 cm Nahtzugabe); 6 x Lasche, 10 cm breit, 11 cm lang; 1 x Futter, 78 cm breit, 44 cm hoch; 1 x Taschenboden (plus 1 cm Nahtzugabe)
- aus Lederimitat in Wollweiß: 1 x untere Tasche im Stoffbruch (plus 1 cm Nahtzugabe); 2 x Taschenboden (plus 1 cm Nahtzugabe)
- aus Karton: 1 x Taschenboden

1. Auf die linke Seite eines Taschenbodens aus Lederimitat den Karton auflegen und knappkantig ringsum zusammennähen. Anschließend durch Aufnähen einer Art Schnecke beide Teile zusätzlich aufeinander fixieren. Den zweiten Taschenboden aus Lederimitat links auf links auf den „Schneckenboden" legen und knappkantig ringsum zusammennähen.

2. Die kurzen Kordelstücke mittig zu Schlaufen legen und an den Markierungen auf der Seite des Taschenbodens, die später nach außen zeigen soll, feststecken. Dabei liegen die Enden der Schlaufen bündig zum Rand und der Schlaufenbogen zeigt zur Mitte. Durch mehrmaliges Vor- und Zurücknähen die Schlaufen fixieren.

3. Das untere Taschenteil im Bruch rechts auf rechts aufeinanderlegen und die Seitenkante schließen. Danach die Nahtzugabe auseinanderklappen und auf der rechten Seite des Lederimitats die Naht rechts und links knappkantig absteppen. Mit dem oberen Taschenteil ebenso verfahren.

4. Nun beide Teile rechts auf rechts ineinanderziehen, sodass die abgesteppten Nähte (rückwärtige Mitte) aufeinanderliegen, und an einer Kante entlang zusammenstecken. Dabei beachten, dass das aufgedruckte Muster des Baumwollstoffs später nicht auf dem Kopf steht. Die Kante schließen, die Nahtzugaben zum Baumwollstoff hin klappen und die Naht auf der rechten Stoffseite auf dem Baumwollstoff füßchenbreit absteppen.

5. Die zugeschnittenen Laschen der Länge nach rechts auf rechts falten, entlang der Längskante zusammennähen und wenden. Die Laschen bügeln und die Kanten füßchenbreit absteppen. Die Schmalseiten versäubern. Die Laschen jeweils mit einer Schmalseite bündig am oberen Rand der Tasche links auf rechts an den Markierungen feststecken. Mit einer Naht knappkantig fixieren.

6. Den Taschenboden aus Lederimitat unten rechts auf rechts (auf der rechten Seite des Bodens befinden sich die Kordelschlaufen) an die Tasche stecken. Dabei darauf achten, dass die Naht der Tasche an der rückwärtigen Mitte des Bodens anliegt. Nun den Taschenboden ringsum feststeppen.

7. Das Futter im Bruch rechts auf rechts zusammenlegen. Die Seitenkante schließen, dabei mittig eine Wendeöffnung lassen. Unten den Taschenboden aus Baumwollstoff rechts auf rechts einnähen. Dabei beachten, dass die Naht an der rückwärtigen Mitte des Bodens anliegt.

8. Die Tasche und das Futter rechts auf rechts ineinanderstecken und entlang der oberen Kante ringsum zusammennähen. Die Tasche durch die Wendeöffnung wenden, die Wendeöffnung schließen und das Futter in die Tasche schieben. Die obere Kante im Abstand von 2 cm ringsum absteppen. Dabei auch die Laschen mitfassen und durch mehrfaches Vor- und Zurücknähen verriegeln.

9. Die noch losen Enden der Laschen 1 cm weit nach innen einschlagen, feststecken und knappkantig feststeppen. Dabei durch Tasche und Futter nähen.

10. Die Kordel für die Träger mittig teilen und jeweils doppelt legen. Eine Kordel an der rechten Schlaufe am Taschenboden einhängen und mit einem Knoten fixieren. Das doppelt gelegte Ende verknoten, nach oben führen und rechts entlang durch drei Schlaufen zur vorderen Mitte fädeln. Die zweite Kordel gegengleich anbringen. Zuletzt beide Kordeln an der vorderen Mitte fest miteinander verknoten. Der Zusammenzug der Taschenöffnung erfolgt automatisch durch das Tragen auf dem Rücken.

RUCKSACK MIT GEHEIMFÄCHERN

GRÖSSE: 42 cm hoch, 32 cm breit, 3 cm tief | SCHWIERIGKEITSGRAD: ★★★

Dieser leichte City-Rucksack aus Canvas verbirgt in seiner Doppel-Klappe zwei geheime Fächer, um Kleinigkeiten sicher zu verstauen. Das sportliche Design kombiniert dabei einen unifarbenen Stoff hervorragend mit verspielten Mustern auf Kanten und Trägern – werden Sie kreativ und probieren Sie auch andere Kombinationen aus, bevor Sie mit dem Nähen loslegen.

✂ **Schnittmuster: Bogen B**

MATERIAL

- Canvas in Wollweiß, 145 cm breit, 160 cm lang
- Popeline in Schwarz gepunktet, 145 cm breit, 60 cm lang
- Bügelvlies, mittelstark, 90 cm breit, 120 cm lang
- 2 Reißverschlüsse in Schwarz, 14 cm lang

SO WIRD'S GEMACHT

Zuschneiden:

Hinweis: Soweit nicht anders angegeben alle Teile plus 1 cm Nahtzugabe zuschneiden!

- aus Canvas in Wollweiß: 4 x Rucksack; 1 x Innentasche im Stoffbruch, 26 cm breit, 35 cm lang; 1 x Klappe 1 im Stoffbruch; 1 x Klappe 2 im Stoffbruch; 2 x Reißverschlusstasche unten; 2 x Reißverschlusstasche oben; 2 x Steg, 7 cm breit, 112 cm lang (inkl. Nahtzugabe) + 2 x Träger, 9 cm breit, 80 cm lang (inkl. Nahtzugabe)
- aus Popeline in Schwarz gepunktet: 2 x Träger, 5 cm breit, 80 cm lang; 2 x Schrägband, 5 cm breit, 70 cm lang (jeweils inkl. Nahtzugabe)
- aus Bügelvlies: 4 x Rucksack (ohne Nahtzugabe)

1. Die vier Schnittteile Rucksack auf der linken Stoffseite mit Bügelvlies verstärken.

2. Die Innentasche im Stoffbruch rechts auf rechts falten und die Kanten bis auf eine Wendeöffnung schließen. Die Innentasche wenden und rundum füßchenbreit absteppen. Dabei wird die Wendeöffnung geschlossen. Die Innentasche an der Markierung links auf rechts auf ein Schnittteil Rucksack nähen.

3. Für die Außentasche und das Futter jeweils einen Steg rechts auf rechts zwischen zwei Rucksackteile nähen. Beim Futter dabei das Teil mit Innentasche verwenden.

4. Das Futter und die Außentasche rechts auf rechts ineinanderstecken und am oberen Rand bis auf eine Wendeöffnung zusammennähen. Die Tasche wenden, das Futter in die Tasche schieben und den oberen Rand füßchenbreit absteppen. Dabei wird die Wendeöffnung geschlossen.

5. Die Kante zwischen Steg und Vorder- bzw. Rückteil durchgehend füßchenbreit absteppen. Dabei das Futter mitfassen. Anschließend den Steg nach innen falten und bügeln, damit ein Falz entsteht.

6. Die Schnittteile für die Reißverschlusstasche ringsum versäubern. Jeweils an der Reißverschlusskante eine Reißverschlusstasche oben rechts auf rechts auf eine Reißverschlusstasche unten stecken und die Kante an beiden Seiten 2,5 cm weit schließen. Die Nahtzugabe auseinanderbügeln, dann den Reißverschluss hinter die Öffnung stecken und auf der rechten Seite rundum absteppen.

7. Die Nahtzugabe an den Reißverschlusstaschen einschlagen und bügeln, dann die Taschen an der Markierung auf Klappe 1 bzw. Klappe 2 stecken. Dabei beachten, dass sich die Taschen jeweils auf der späteren Unterseite der Klappen befinden. Die Taschen knappkantig und füßchenbreit aufnähen.

8. Die Klappen jeweils im Stoffbruch links auf links aufeinanderlegen. Die offenen Seiten knappkantig zusammennähen und mit dem Schrägband einfassen (siehe Näh-ABC).

9. Je einen Träger aus Canvas und Baumwolle rechts auf rechts an den Längsseiten zusammennähen. Die Träger wenden, die Nahtzugaben an den Schmalseiten nach innen einschlagen und die Kanten bügeln. Die Träger rundum füßchenbreit absteppen, dann mit der gepunkteten Seite nach oben an den Markierungen auf die Rückseite des Rucksacks stecken und annähen.

10. Die Klappen mit den Reißverschlusstaschen nach unten zeigend aufeinanderlegen (Klappe 1 liegt unter Klappe 2) und zusammenstecken. Auf der Rückseite des Rucksacks 3 cm unterhalb des oberen Randes eine Markierung anzeichnen und die Klappen an der Markierung von oben an den Rucksack stecken. Dabei werden die oberen Enden der Träger verdeckt. Knappkantig und 1,25 cm breit festnähen.

SCHMUCKSTÜCK

Eine Tasche ist nicht nur praktisch, sie ist auch ein edles Accessoire. Wer also ein einzigartiges Schmuckstück zum Ausführen sucht, wird in diesem Kapitel fündig. Von Kunstleder bis Kork, von Pailletten bis Samt: Nähen Sie sich aus feinsten Materialien eine elegante Clutch oder ein goldenes Handgelenktäschchen! So sorgen Sie für das ganz besondere „Bling, Bling".

BRIEFKUVERT-CLUTCH AUS KORK

GRÖSSE: 25 cm breit, 14 cm hoch | SCHWIERIGKEITSGRAD: ★★★

Das Trend-Accessoire schlechthin! Die stilsichere Kombination aus absolut angesagtem Korkstoff und stylischer Kuvert-Form mit Gliederkette macht diese Clutch zum Schmuckstück jeder Taschenkollektion – und zur idealen Begleitung für besondere Anlässe.

✂ **Schnittmuster: Bogen A**

MATERIAL

- Korkstoff Natur in Karamell, 70 cm breit, 35 cm lang
- Popeline in Hellgrau-Weiß gestreift, 139 cm breit, 35 cm lang
- Bügelvlies, mittelstark, 90 cm breit, 35 cm lang
- Gliederkette in Silber, 4 x 6 mm breit, 100 cm lang
- Druckknopf in Silber, ø 1,5 cm
- farblich passendes Nähgarn
- Nähnadel

SO WIRD'S GEMACHT

Zuschneiden:

- aus Korkstoff Natur in Karamell: 1 x Tasche (plus 1 cm Nahtzugabe)
- aus Popeline in Hellgrau-Weiß gestreift: 1 x Tasche (plus 1 cm Nahtzugabe)
- aus Bügelvlies: 1 x Tasche

1. Den Kork auf der linken Seite mit dem Bügelvlies verstärken.

2. Den Kork- und den Popeline-Zuschnitt rechts auf rechts aufeinanderlegen und bis auf eine Wendeöffnung ringsum zusammennähen. Die Nahtzugaben an den Ecken und Spitzen einschneiden. Die Tasche wenden.

3. Die Nahtzugabe an der Wendeöffnung nach innen feststecken, dann alle Seiten rundherum knappkantig absteppen. Dabei wird die Wendeöffnung geschlossen.

4. Die Tasche an den gestrichelten Linien wie einen Briefumschlag zusammenfalten. Dabei erst die seitlichen Ecken, dann die untere Ecke zur Mitte falten. Die Tasche bügeln.

5. Das Unterteil des Druckknopfes nach Herstellerangaben an der Mitte der Tasche an den übereinanderliegenden Ecken anbringen (siehe Markierung). Dadurch werden die Ecken fixiert.

6. Das Oberteil des Druckknopfes als Gegenstück an der oberen Ecke befestigen. Dazu die Ecke nach unten falten und die korrekte Position der Markierung überprüfen. Dann erst den Druckknopf einschlagen.

7. Zum Schluss die Gliederkette von Hand an den oberen Ecken der Tasche annähen.

TIPP

Für mehr Stabilität können Sie die seitlich nach innen geklappten Ecken zunächst mit ein paar Stichen aneinander fixieren. Danach die untere Ecke nach oben klappen und an den schrägen Kanten ein Stück weit auf den Seitenteilen (Achtung – nicht die Rückwand mitfassen!) feststeppen.

TRIANGELTASCHE AUS KUNSTLEDER

GRÖSSE: 10 cm x 17 cm, ca. 10 cm hoch | SCHWIERIGKEITSGRAD: ★★★

Dieses originelle Mini-Täschchen begleitet Sie treu zu Partys, ins Theater und zu sonstigen Events. Portemonnaie, Schlüssel, Lippenstift und sonstige Notwendigkeiten passen hinein und dank der pyramidenähnlichen Form steht es sicher, sodass drinnen nichts durcheinanderpurzelt.

✂ **Schnittmuster: Bogen A**

MATERIAL

- Nappalederimitat in Altgold, 137 cm breit, 50 cm lang
- 2 Reißverschlüsse in Beige, 12 cm lang
- Ledernadel oder Nadelstärke mind. 100
- Klammern zum Feststecken des Kunstleders
- farblich passendes Nähgarn

SO WIRD'S GEMACHT

Hinweis: Beim Nähen mit Kunstleder sehr vorsichtig arbeiten, weil die Stichlöcher falscher Nähte später sichtbar bleiben.

Zuschneiden:

- aus Nappalederimitat in Altgold: 2 x Tasche im Stoffbruch (plus 1 cm Nahtzugabe); 1 x Gelenkband, 6 cm breit, 35 cm lang

1. Für die Außentasche drei Seiten des Zuschnitts rechts auf rechts zu einer Pyramide nach oben klappen. Dabei bleibt die vierte Seite unberührt. Die aufeinandertreffenden Seitenkanten zusammenstecken. An den sich ergebenden zwei unteren Ecken jeweils 2 cm weit vom Boden nach oben feststeppen.

2. Die Reißverschlüsse öffnen und jeweils einen Reißverschluss rechts auf rechts an der Nahtzugabe der Seitenkanten, an denen zuvor die Ecken abgenäht wurden, anbringen (Zähnchen und Schieber zeigen nun nach innen). Um die Tasche später gut schließen zu können, den Reißverschluss so feststecken, dass sich oben an der Spitze noch keine Metallzähne befinden. Der Anfang des Reißverschlusses sollte also so wenig wie möglich überstehen.

3. Danach die noch offene vierte Seite der Tasche nach oben klappen und die Seitenkanten zusammennähen. Die Tasche wenden, die Nahtzugaben auseinanderklappen und die Nähte auf der rechten Seite beidseitig knappkantig absteppen.

4. Für das Futter Schritt 1 mit dem zweiten Taschenzuschnitt wiederholen. Die Außentasche auf links wenden und das Futter rechts auf links an die Reißverschlüsse annähen.

5. Danach die noch offene vierte Seite des Futters nach oben klappen und die Seitenkanten zusammennähen. Dabei an einer Kante eine Wendeöffnung lassen. Die Tasche wenden, die Wendeöffnung schließen und das Futter in die Tasche schieben. An den Reißverschlüssen die Kanten knappkantig absteppen.

6. Für das Gelenkband den Zuschnitt der Länge nach mittig falten, die Längskanten zur Mitte einschlagen und das Band an den Längsseiten füßchenbreit absteppen.

7. Die Reißverschlüsse öffnen. An der Pyramidenseite, wo die Reißverschlüsse aufeinandertreffen, ein Ende des Bandes rechts auf rechts an der Markierung anlegen (das lange Ende des Bandes zeigt dabei zum Boden der Tasche) und annähen. Dann das Band nach oben legen und 1 cm oberhalb der Naht nochmals absteppen. Das zweite Ende auf der gegenüberliegenden Seite ebenso anbringen. Fertig!

TIPP

Hier am besten einen Metallreißverschluss mit feinen Zähnen wählen. Keinen Reißverschluss für Jeans!

SAMTCLUTCH MIT FEDERN

GRÖSSE: 22 cm breit (Boden), 16 cm hoch | SCHWIERIGKEITSGRAD: ★★★

Eine ebenso edle wie originelle Clutch ist dieses Modell aus Samt und „Federn" mit Bügelverschluss. Dank des sportlich-eleganten Looks lässt sich diese Tasche mit fast allen Kleidungsstilen kombinieren. Auch ein tolles Modell als Geschenk für Schwester, Freundin und Co.

✂ **Schnittmuster: Bogen B**

MATERIAL

- Samtstoff in Gold, 140 cm breit, 25 cm lang
- Lederreste in Blau und Weiß
- 1 Taschenbügel in Altsilber, 18,5 cm breit
- farblich passendes Nähgarn
- Textilkleber
- Schraubenzieher

SO WIRD'S GEMACHT

Zuschneiden:

- aus Samtstoff in Gold: 4 x Tasche (Fadenverlauf und Strichrichtung des Samtstoffs beachten; plus 1 cm Nahtzugabe)
- aus Leder: ca. 11 x Feder (Größe variieren durch Vergrößern und Verkleinern)

1. Zu Beginn die Scharnier-Markierungen auf der linken Seite aller Schnittteile anzeichnen. Dazu den Taschenbügel an die obere Kante anlegen und links und rechts das Bügel-Ende (direkt über dem Scharnier) an den Seitenkanten anzeichnen. Je nach Form des Bügels muss ggf. auch die Form des Schnittmusters angepasst werden.

2. Für Futter und Außentasche je zwei Schnittteile rechts auf rechts legen und den Taschenboden und die Seitenkanten bis zur seitlichen Scharnier-Markierung zusammennähen. Am Futter eine Wendeöffnung am Taschenboden lassen.

3. Futter und Außentasche rechts auf rechts zusammenstecken und an der oberen Kante ringsum zusammennähen. Rechts und links besonders exakt an den seitlichen Markierungen entlangnähen und an dieser Stelle die Nahtzugabe auseinanderdrücken.

4. Die Ecken des Taschenbodens an Außentasche und Futter nähen, um die Tiefe des Taschenbodens zu erreichen. Dafür die Ecken jeweils zu einem Dreieck zusammenfalten, sodass Naht auf Naht liegt. Mit einer Quernaht von 4 cm Breite abnähen. Das Dreieck bis auf 1 cm abschneiden.

5. Die Tasche wenden, die Wendeöffnung schließen und das Futter in die Tasche schieben.

6. Die Federn ringsum wie abgebildet fransig einschneiden und in der Mitte absteppen. Nach Wunsch auf einer Seite der Außentasche positionieren und mit ein paar Stichen am oberen Taschenrand fixieren.

6

7. Auf einer Seite des Taschenbügels die Rille mit Textilkleber bestreichen. Mit Hilfe einer Schere oder des Schraubenziehers eine Seite der Tasche in die Rille hineinschieben und gut trocknen lassen. Erst dann den Vorgang auf der zweiten Seite wiederholen.

CLUTCH MIT SCHLEIFE

GRÖSSE: 35 cm breit, 15 cm hoch | SCHWIERIGKEITSGRAD: ★★☆

Diese Clutch in Tropfenform macht jedes Ausgeh-Outfit komplett! Durch die raffinierte Klappe mit der großen Schleife wird das praktische Täschchen zu einem tollen Designerstück, das garantiert nicht jeder im Schrank hat.

✂ **Schnittmuster: Bogen B**

MATERIAL

- Kunstleder in Hellgrau, 137 cm breit, 40 cm lang
- Baumwollstoff in Türkis, 145 cm breit, 40 cm lang
- Bügelvlies, mittelstark, 90 cm breit, 35 cm lang
- Ledernadel oder Nadelstärke mind. 100
- Klammern zum Feststecken des Kunstleders
- farblich passendes Nähgarn

SO WIRD'S GEMACHT

Hinweis: Beim Nähen mit Kunstleder sehr vorsichtig arbeiten, weil die Stichlöcher falscher Nähte später sichtbar bleiben.

Zuschneiden:

- aus Kunstleder in Hellgrau: 1 x Tasche im Stoffbruch (plus 1 cm Nahtzugabe); 2 x Seitenteil (plus 1 cm Nahtzugabe); 2 x Klappe (plus 1 cm Nahtzugabe)
- aus Baumwollstoff in Türkis: 1 x Tasche im Stoffbruch (plus 1 cm Nahtzugabe); 2 x Seitenteil (plus 1 cm Nahtzugabe); 1 x Schleife, 38 cm breit, 20 cm lang; 1 x Quersteg Schleife, 10 cm breit, 8 cm lang
- aus Bügelvlies: 1 x Tasche im Stoffbruch; 2 x Seitenteil

1. Die Kunstleder-Zuschnitte für Tasche und Seitenteil auf der linken Seite mit dem Bügelvlies verstärken.

2. Die Längskanten der Schleife rechts auf rechts aufeinanderlegen und zusammennähen. Auf rechts wenden und bügeln. Mit dem Quersteg der Schleife ebenso verfahren. Die Schmalseiten des Querstegs versäubern, rechts auf rechts legen und zusammennähen. Nun den Quersteg über die Schleife schieben.

3. Die Enden der Schleife rechts und links in zwei bis drei Falten legen und entsprechend der Markierung auf dem Schnittmuster auf die rechte Seite der Kunstleder-Tasche stecken. Knappkantig festnähen.

4. Die Seitenteile der Kunstleder-Tasche rechts auf rechts an die Tasche stecken. Dabei darauf achten, dass die Markierungen für die rückwärtige Mitte aufeinanderliegen. Aufnähen. Mit dem Futter ebenso verfahren.

5. Die Schnittteile der Klappe rechts auf rechts aufeinanderlegen und bis auf die gerade Kante ringsum zusammennähen. Die Klappe auf die rechte Seiten wenden und die Nahtkante füßchenbreit absteppen. Die Klappe rechts auf rechts mittig an die offene Kante der Taschenrückseite (Seite ohne Schleife) stecken und aufnähen.

6. Das Futter rechts auf rechts in die Tasche stecken, die Klappe liegt dabei nach außen aufgeklappt. Den oberen Rand bis auf die Rückseite der Tasche mit der Klappe zusammennähen. Die Rückseite von Tasche und Futter bleibt an dieser Stelle offen und wird erst nach dem Wenden geschlossen.

7. Die Tasche auf die rechte Seite wenden und das Futter in die Tasche schieben. Die Nahtzugabe an der Rückseite des Futters nach innen einschlagen und an die Rückseite der Klappe stecken. Jetzt den oberen Rand rundum füßchenbreit absteppen. Dabei wird gleichzeitig die Wendeöffnung geschlossen.

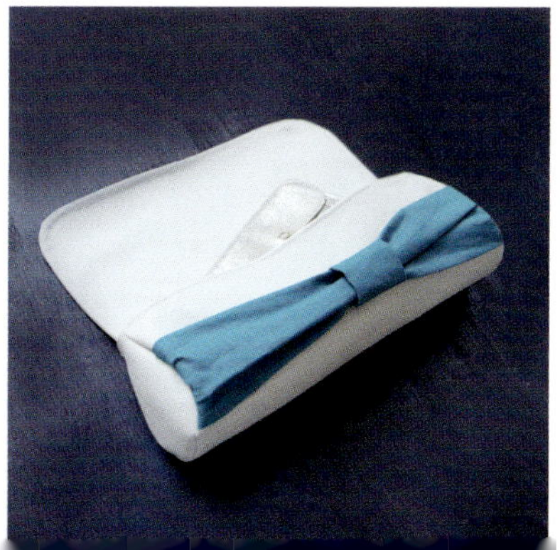

PAILLETTEN-CLUTCH MIT QUASTE

GRÖSSE: 28 CM BREIT, 13 CM HOCH | SCHWIERIGKEITSGRAD: ★★☆

Ob cooler neuer Club oder stylische Party, mit dieser glitzernden Clutch mit Lederklappe sind Sie für schicke Events stets perfekt ausgerüstet. Das Täschchen sieht darüber hinaus nicht nur schön aus, sondern bietet Dank mitbefüllbarer Klappe auch richtig viel Platz.

✂ **Schnittmuster: Bogen A**

MATERIAL

- Paillettenstoff in Altsilber, 127 cm breit, 40 cm lang
- Nappalederimitat in Königsblau, 137 cm breit, 40 cm lang
- Canvas in Dunkelblau, 140 cm breit, 35 cm lang
- Bügelvlies, mittelstark, 90 cm breit, 35 cm lang
- Reißverschluss in Marineblau, 30 cm lang
- Lederimitat-Fransenband in Schwarz, 11 cm breit, 10 cm lang
- Ledernadel oder Nadelstärke mind. 100
- Klammern zum Feststecken des Kunstleders
- farblich passendes Garn
- Textilkleber

SO WIRD'S GEMACHT

Hinweis: Beim Nähen mit Kunstleder sehr vorsichtig arbeiten, weil die Stichlöcher falscher Nähte später sichtbar bleiben.

Zuschneiden:

(Alle Teile plus 2 cm Nahtzugabe an der Reißverschlusskante, sonst plus 1 cm Nahtzugabe zuschneiden!)

- aus Paillettenstoff in Altsilber: 1 x Tasche (wie abgebildet)
- aus Nappalederimitat in Königsblau: 1 x Tasche (seitenverkehrt)
- aus Canvas in Dunkelblau: 2 x Tasche (1 x wie abgebildet, 1 x seitenverkehrt)
- aus Bügelvlies: 1 x Tasche (seitenverkehrt)

1. Den Paillettenstoff auf der linken Stoffseite mit dem Bügelvlies verstärken.

2. Das Taschenteil aus Lederimitat und das Taschenteil aus Paillettenstoff rechts auf rechts aufeinanderlegen und die Reißverschlusskante links und rechts jeweils 2,5 cm weit zusammennähen. Den Reißverschluss rechts auf rechts an der Nahtzugabe feststecken und annähen.

3. Die Canvas-Teile für das Futter an der Reißverschlussnahtzugabe rechts auf links annähen. Anschließend auf der rechten Seite der Tasche den Reißverschluss 1 cm breit absteppen und an den Enden gut verriegeln.

4. Die Taschenteile aus Paillettenstoff und Lederimitat rechts auf rechts aufeinanderlegen und die drei offenen Seiten schließen. Am Futter nur die Seitenkanten schließen. Die untere Kante bleibt als Wendeöffnung offen. Die Nahtzugaben zurückschneiden, die Tasche wenden und die Wendeöffnung schließen. Das Futter in die Tasche schieben.

5. Aus dem Fransenband ein Röllchen formen und für die spätere Aufhängung mittig vier Fransen nach oben stehen lassen. Damit sich die Lederquaste nicht wieder aufrollt, wird sie mit Textilkleber oder ein paar Stichen von Hand fixiert.

6. Zwei der nach oben stehenden Fransen durch den Zipper des Reißverschlusses fädeln und mit den zwei übrigen Fransen gut verknoten.

SCHULTERTASCHE IN GRAU-WEISS

GRÖSSE: 30 cm breit, 35 cm hoch | SCHWIERIGKEITSGRAD: ★★★

Diese praktische Tasche im modischen schwarz-weiß Kontrast wird garantiert zu Ihrem neuen Lieblingsstück! Im Hauptfach finden große Gegenstände problemlos Platz und in den praktischen Reißverschlussfächern außen werden Schlüssel, Handy und Co. sicher verstaut.

✂ **Schnittmuster: Bogen B**

MATERIAL

- Nappalederimitat in Dunkelgrau, 137 cm breit, 50 cm lang
- Nappalederimitat in Weiß, 137 cm breit, 50 cm lang
- Popeline in Hellgrau-Weiß gestreift, 139 cm breit, 40 cm lang
- Bügelvlies, mittelstark, 90 cm breit, 100 cm lang
- Karton, 2 mm stark, 25 x 20 cm
- 2 Reißverschlüsse in Schwarz, 10 cm lang
- Ledernadel oder Nadelstärke mind. 100
- Klammern zum Feststecken des Kunstleders
- farblich passendes Nähgarn
- kleine, spitze Schere

TIPP

Beim Nähen mit Kunstleder sehr vorsichtig arbeiten, weil die Stichlöcher falscher Nähte später sichtbar bleiben.

SO WIRD'S GEMACHT

Zuschneiden:

(Soweit nicht anders angegeben alle Teile plus 1 cm Nahtzugabe zuschneiden!)

- aus Nappalederimitat in Dunkelgrau: 2 x Tasche; 4 x Besatz; 1 x Taschenboden; 1 x Innentasche im Stoffbruch, 13 cm breit, 20 cm lang (inkl. Nahtzugabe); 2 x Streifen für Henkel, 6 cm breit, 60 cm lang (inkl. Nahtzugabe)
- aus Nappalederimitat in Weiß: 2 x Tasche; 1 x Innentasche im Stoffbruch, 13 cm breit, 20 cm lang (inkl. Nahtzugabe)
- aus Popeline in Hellgrau-Weiß gestreift: 4 x Futter; 1 x Taschenboden
- aus Bügelvlies: 4 x Futter (ohne Nahtzugabe)
- aus Karton: 1 x Taschenboden (ohne Nahtzugabe)

1. Alle Teile für das Futter – bis auf den Taschenboden – mit Bügelvlies verstärken.

2. Für das Vorder- bzw. Rückteil der Außentasche je ein weißes und ein graues Lederteil rechts auf rechts legen und so zusammennähen, dass am fertigen Taschenteil jeweils das graue Teil links und das weiße Teil rechts liegen. Die Nahtzugaben auseinanderklappen und auf der rechten Seite die Nähte beidseitig knappkantig absteppen. Dabei jeweils passendes Nähgarn wählen.

Hinweis: Nicht bis ganz zur Bodenkante nähen, sondern 1 cm zuvor stoppen und verriegeln, um später den Taschenboden leichter um die Ecken legen zu können.

3. Auf der linken Stoffseite des Vorderteils die Reißverschluss-Schlitze markieren. Auf der rechten Stoffseite die jeweils farblich passende Innentasche rechts auf rechts anstecken und auf der linken Stoffseite entlang der rechteckigen Markierung aufnähen. Die gestrichelte Mittellinie des Reißverschluss-Schlitzes bis in die Ecken einschneiden und die Innentasche durch den Schlitz auf die linke Seite ziehen. Den Reißverschluss von hinten an den Schlitz stecken und auf der rechten Seite rundum knappkantig feststeppen. Danach die Innentasche im Stoffbruch zusammenlegen und die offenen Kanten schließen.

4. Vorder- und Rückteil der Tasche rechts auf rechts aufeinanderlegen und die Seitenkanten schließen, dabei wieder 1 cm vor dem Taschenboden enden. Die Nahtzugaben auseinanderklappen und die Nähte auf der rechten Seite beidseitig knappkantig absteppen. Den Taschenboden rechts auf rechts an die Tasche annähen.

5. Jeweils einen Besatz rechts auf rechts an die obere Kante eines Futterteils nähen. Die Nahtzugaben zum Futter hin legen und auf der rechten Seite füßchenbreit auf dem Futter feststeppen.

6. Die vier Futterteile wie bei der Außentasche rechts auf rechts zusammennähen. Die Seitenkanten der vier Futterteile schließen, dabei an einer Seite eine Wendeöffnung lassen und jeweils wieder 1 cm vor dem Taschenboden enden. Die Nahtzugaben auseinanderbügeln und die Nähte auf der rechten Seite beidseitig absteppen.

7. Den Karton knappkantig auf die linke Seite des Taschenbodens nähen. Dann den Taschenboden rechts auf rechts an das Futter nähen.

8. Die Streifen für die Henkel der Länge nach links auf links falten, dann beide Längsseiten 1 cm breit einschlagen und bügeln. Die Henkel ringsum füßchenbreit absteppen. Entsprechend der Markierung auf die rechte Seite der Tasche stecken, die Schmalseiten der Henkel sind dabei bündig zur Nahtzugabe, und gut festnähen.

9. Die Tasche und das Futter rechts auf rechts ineinanderstecken, die Henkel liegen dabei zwischen Futter und Außentasche. An der oberen Kante aufeinanderstecken und rundum zusammennähen. Die Tasche wenden, die Wendeöffnung schließen und das Futter in die Tasche schieben.

Hinweis: Beim Bügeln von Kunstleder unbedingt ein Tuch zwischen Leder und Bügeleisen legen und eine niedere Temperatur einstellen. Am besten vorab eine Probe mit einem Stoffrest machen.

ORDNUNGSWUNDER

„Ordnung ist das halbe Leben." Getreu diesem Motto finden Sie auf den nächsten Seiten zahlreiche Taschenideen zum Verstauen, Sortieren und Ordnung halten. Von Messengerbag bis Kabeltasche – endlich lassen sich Ihre wichtigen Sachen transportieren, ohne dass alles durcheinanderpurzelt.

SCHMINKTÄSCHCHEN „KUSSMUND“

GRÖSSE: 20 cm breit, 12 cm hoch | SCHWIERIGKEITSGRAD: ★★★

Für den perfekten Kussmund wird hier erst genäht, dann mit den Lieblings-Lippenstiften gefüllt. Das witzige Schminktäschchen sorgt für Ordnung im Bad und in größeren Taschen unterwegs. Auch super als Geschenkidee oder Verpackung für Beauty-Geschenke!

✂ **Schnittmuster: Bogen B**

MATERIAL

- Bio-Baumwollstoff in Rot, 160 cm breit, 30 cm lang
- Reißverschluss in Weiß, 18 cm lang
- farblich passendes Nähgarn

SO WIRD'S GEMACHT

Zuschneiden:

- aus Bio-Baumwollstoff in Rot: 4 x Vorderteil; 2 x Rückteil (jeweils plus 1 cm Nahtzugabe)

1. Den Reißverschluss rechts auf rechts an die Reißverschlusskante und Nahtzugabe von zwei Vorderteilen nähen. Den Reißverschluss schließen und das Teil probeweise auf ein Rückteil legen. Gegebenenfalls die Kanten des Reißverschlussteils nachschneiden, damit sie deckungsgleich zum Rückteil sind. Die Nahtzugaben auf die linke Stoffseite klappen.

2. Für das Futter die übrigen Vorderteile rechts auf links auf den Reißverschluss stecken und annähen. Anschließend gegebenenfalls die Kanten am Futter nachschneiden, damit sie deckungsgleich mit der Außentasche sind.

3. Den Reißverschluss auf der rechten Seite beidseitig knappkantig absteppen.

4. Den Reißverschluss leicht öffnen und vorn und hinten jeweils ein Rückteil rechts auf rechts auf je zwei Vorderteile stecken. Zuerst die Außentasche ringsum zusammennähen, dann das Futter. Dabei jedoch eine Wendeöffnung lassen.

5. Die Nahtzugaben an den Rundungen zurückschneiden, die Tasche wenden und die Wendeöffnung schließen. Zum Schluss das Futter in die Tasche schieben, die Kanten schön ausformen und die Tasche bügeln.

LASHES

KABELTASCHE FÜR UNTERWEGS

GRÖSSE: 30 cm lang (gefaltet 15 cm), 20 cm breit | SCHWIERIGKEITSGRAD: ★★★

Wenn einer eine Reise tut – dann gibt's oft Kabelsalat im Koffer. Denn Ladegerät fürs Handy, Verbindungskabel für die Kamera oder Adapter für ausländische Steckdosen verknoten sich gern miteinander. Schluss damit! Dank dieser kleinen Klapptasche ist ab jetzt alles sicher und ordentlich verstaut.

✂ **Schnittmuster: Bogen B**

MATERIAL

- Canvas in Marineblau, 140 cm breit, 35 cm lang
- Popeline in Blaugrau gemustert, 139 cm breit, 35 cm lang
- Fleece in Schwarz, 150 cm breit, 30 cm lang
- Reißverschluss in Wollweiß, 18 cm lang
- Ripsband in Grün, 16 mm breit, 50 cm lang
- farblich passendes Garn

SO WIRD'S GEMACHT

Zuschneiden:

- aus Canvas in Marineblau: 2 x Tasche (plus 1 cm Nahtzugabe)
- aus Popeline in Blaugrau gemustert: 1 x Reißverschlusstasche (plus 2 cm Nahtzugabe an der Reißverschlusskante, sonst plus 1 cm Nahtzugabe); 1 x Besatz Reißverschlusstasche im Stoffbruch (plus 1 cm Nahtzugabe); 1 x Schrägband, 4 cm breit, 120 cm lang; 2 x Schleifenband, 3 cm breit, 25 cm lang
- aus Fleece in Schwarz: 1 x Tasche (plus 0,5 cm Nahtzugabe)
- aus Ripsband in Grün: 1 x Schlaufenband, 25 cm lang; 1 x Schlaufe, 12 cm lang

1. An der Reißverschlusstasche die obere Kante doppelt 1 cm weit auf die linke Seite umschlagen und bügeln. Anschließend den Reißverschluss rechts auf rechts auf die gebügelte Kante stecken und aufnähen. Den Besatz Reißverschlusstasche im Bruch links auf links falten und bügeln. Danach mit der Bruchkante rechts auf rechts auf die zweite Seite des Reißverschlusses stecken und annähen.

2. Die Nahtzugaben an den Längskanten des Besatzes nach innen einschlagen, bügeln und bündig aufeinanderstecken. Den Reißverschluss schließen und die fertige Reißverschlusstasche links auf rechts auf ein Canvas-Taschenteil (siehe Markierungen) stecken.

3. Das Ripsband für das Schlaufenband an der Markierung 1 cm weit unter die Reißverschlusstasche schieben und feststecken. Dann die obere Kante der Reißverschlusstasche knappkantig und 1 cm breit auf den Canvas nähen.

4. Die zwei Canvas-Schnittteile Tasche und den zugeschnittenen Fleece so übereinanderlegen, dass die Canvas-Teile links auf links liegen und der Fleece sich zwischen den Canvas-Teilen befindet.

5. Für das Schlaufenband das eingenähte Ripsband von der Naht an alle 4 cm mit einer Stecknadel markieren. Anschließend das Band an diesen Markierungen im Abstand von 3,5 cm auf den Canvas stecken und feststeppen. Dabei durch alle Stofflagen mehrmals vor- und zurücknähen.

6. Das Ripsband für die Schlaufe doppeltlegen und mit den offenen Enden bündig auf die Außenseite der Tasche stecken. Die Schlaufe befindet sich genau in der Mitte der Seitenkante. Festnähen.

7. Die Streifen für die Schleifenbänder der Länge nach mittig falten und bügeln, dann die Längsseiten zur Mitte einschlagen und bügeln. An der offenen Längsseite knappkantig absteppen. Die Schleifenbänder jeweils mit einem Ende mittig auf einer Außenseite der Tasche feststecken. Die Schleifenbänder zeigen dabei zur Mitte der Tasche.

8. Nun die Kabeltasche zum Fixieren rundum knappkantig absteppen. Anschließend die offene Kante mit dem Schrägband einfassen (siehe Näh-ABC).

9. Zuletzt die offenen Enden der Schleifen mit einem Knoten sichern.

MESSENGERBAG IN GRAU-GRÜN

GRÖSSE: 38 cm breit, 28 cm hoch | SCHWIERIGKEITSGRAD: ★★★

Ob Uni oder Arbeit, diese Tasche ist der perfekte Begleiter zu wichtigen Terminen und Vorlesungen. Dank Retro-Design und kräftigen Farbakzenten ist sie ein echter Blickfang und sorgt trotz Stress und Hektik immer für gute Laune.

✂ **Schnittmuster: Bogen B**

MATERIAL

- Leinenstoff in Grau, 148 cm breit, 120 cm lang
- Bio-Baumwollstoff in Lindgrün, 140 cm breit, 30 cm lang
- Bügelvlies, mittelstark, 100 cm breit, 100 cm lang
- Gurtband in Apfelgrün, 4 cm breit, 200 cm lang
- Kunststoff-Reißverschluss in Grün, 35 cm lang
- 2 Metall-Clipverschlüsse in Silber, 4 cm breit
- farblich passendes Nähgarn

SO WIRD'S GEMACHT

Zuschneiden:

- aus Leinenstoff in Grau: 4 x Tasche (plus 1 cm Nahtzugabe); 2 x Taschenklappe (plus 1 cm Nahtzugabe); 1 x Streifen für Außentasche, 8 cm breit, 90 cm lang; 4 x Reißverschluss-Besatz, 37 cm breit, 5 cm lang
- aus Bio-Baumwollstoff in Lindgrün: 1 x Innentasche, 26 cm breit, 15 cm lang; 1 x Streifen für Futter, 90 cm breit, 8 cm lang
- aus Bügelvlies: 4 x Tasche
- aus Gurtband in Apfelgrün: 1 x Tragegurt, 75 cm lang; 2 x Gurtband für Taschenklappe, 16 cm lang; 1 x Gurtband für Außenseite, 90 cm lang

1. Alle vier Taschenteile mit Bügelvlies verstärken.

2. Die beiden Taschenklappen rechts auf rechts bis auf eine Wendeöffnung ringsum zusammennähen. Die Taschenklappe wenden, die Nahtzugabe an der Wendeöffnung nach innen schlagen und feststecken. Die Taschenklappe ringsum füßchenbreit absteppen, dabei gleichzeitig die Wendeöffnung schließen.

3. Eine Längskante der Innentasche 1 cm weit doppelt nach hinten umschlagen und die Kante absteppen. Die drei offenen Kanten 1 cm weit nach hinten umschlagen und bügeln. Die Innentasche auf die rechte Seite eines Taschenteils stecken und alle drei Seiten knappkantig festnähen. Nun für die Einsteckfächer die Innentasche zweimal im Abstand von 8 cm senkrecht absteppen.

4. Den grünen Streifen für das Futter rechts auf rechts auf die Außenkante des Taschenteils mit Innentasche stecken und festnähen. Die andere Längskante des Streifens wie beschrieben auf ein weiteres Taschenteil nähen.

5. Nun das Gurtband für die Außenseite mittig auf den Streifen für die Außentasche stecken und rundum schmalkantig aufsteppen. Anschließend den Streifen wie in Schritt 4 beschrieben zwischen die zwei verbliebenen Taschenteile nähen.

6. Zwei Reißverschluss-Besätze rechts auf rechts aufeinanderlegen, den Reißverschluss zwischen die Besätze schieben, an einer Längsseite bündig feststecken und die Kante absteppen. Die Besätze aufklappen, sodass sie links auf links neben dem Reißverschluss liegen. Füßchenbreit absteppen. Auf der anderen Seite des Reißverschlusses mit den übrigen beiden Besätzen wiederholen. Dann die Nahtzugaben an den Schmalseiten der Besätze nach innen einschlagen und schmalkantig absteppen.

7. Den Reißverschluss öffnen und jeweils eine Längsseite des Reißverschluss-Besatzes mittig rechts auf rechts an eine Seite der Außentasche feststeppen.

8. Die Länge des Tragegurts bei Bedarf anpassen, dann den Tragegurt rechts und links bündig auf die Nahtzugabe des Taschenstreifens stecken. Achten Sie darauf, dass der Gurt nicht verdreht ist. Feststeppen.

9. Das Futter auf rechts drehen und die Außentasche so darüberstülpen, dass am oberen Rand die offenen Kanten rechts auf rechts aufeinanderliegen. Auch der Tragegurt befindet sich nun zwischen Futter und Außentasche. Rundherum zusammensteppen, dabei aber an einer Stelle eine Wendeöffnung lassen. Die Tasche wenden, die Nahtzugabe der Wendeöffnung nach innen schlagen und feststecken, dann den oberen Rand ringsum füßchenbreit absteppen. Dabei wird die Wendeöffnung geschlossen.

10. Je ein Oberteil der Clipverschlüsse nach Herstellerangabe an einem Ende der Gurtbänder für die Taschenklappe befestigen. Das gegenüberliegende Ende der Länge nach rechts auf rechts mittig falten und die offene Kante knappkantig zusammennähen. Den Gurt wieder öffnen, die Spitze zum Dreieck ausformen und mit einer Quernaht fixieren. Danach die Gurtbänder auf der Taschenklappe positionieren (siehe Schnittmuster). Sie sollten unten 2 cm weit überstehen. Die Gurte knappkantig aufnähen.

11. Die Taschenklappe 2 cm unterhalb des Taschenrandes auf der Rückseite der Tasche aufnähen. Anschließend alle Seitenkanten der Tasche füßchenbreit absteppen.

12. Zum Schluss die Position der Unterteile der Clipverschlüsse auf der Vorderseite der Tasche anzeichnen und die Unterteile nach Herstellerangabe befestigen.

TIPP

Die Unterteile der Clipverschlüsse lieber etwas höher ansetzen, damit sich die Tasche später auch mit mehr Inhalt noch gut schließen lässt!

WEEKENDER IM STREIFENLOOK

GRÖSSE: Weekender 60 cm lang, 24 cm hoch, Kosmetiktasche 26 cm lang, 12 cm hoch
SCHWIERIGKEITSGRAD: ★★★

Reisetasche gesucht? Dieser Weekender bietet viel Stauraum und ist innen mit schmutzabweisendem Folienjersey ausgekleidet. In der passenden Miniversion davon sind Kosmetika aller Art ebenfalls gut aufgehoben. Ein perfekter Urlaubsbegleiter in coolem Look!

✂ **Schnittmuster: Bogen B**

MATERIAL

Weekender:

- Popeline in Pink gestreift, 139 cm breit, 90 cm lang
- Folienjersey in Silber, 148 cm breit, 85 cm lang
- Karton, 2 mm stark, 60 x 40 cm
- Gurtband in Marineblau-Weiß gestreift, 2 x je 4 cm breit, 150 cm lang
- Reißverschluss in Weiß, 55 cm lang
- farblich passendes Nähgarn

Kosmetiktasche:

- Popeline in Pink gestreift, 139 cm breit, 60 cm lang
- Folienjersey in Silber, 148 cm breit, 50 cm lang
- Reißverschluss in Weiß, 25 cm lang
- Karton, 2 mm stark, 50 x 40 cm
- farblich passendes Nähgarn

SO WIRD'S GEMACHT

WEEKENDER

Zuschneiden:

- aus Popeline in Pink gestreift: 1 x Tasche im Stoffbruch (plus 2 cm Nahtzugabe an der Reißverschlusskante, sonst 1 cm Nahtzugabe); 2 x Seitenteil (plus 1 cm Nahtzugabe, Fadenlauf beachten); 1 x Innentasche (plus 1 cm Nahtzugabe); 2 x Schrägstreifen, 4 cm breit, 83 cm lang
- aus Folienjersey in Silber: 1 x Tasche im Stoffbruch (plus 2 cm Nahtzugabe an der Reißverschlusskante, sonst 1 cm Nahtzugabe); 2 x Seitenteil (plus 1 cm Nahtzugabe)
- aus Karton: 2 x Seitenteil; 1 x Innenboden, 10 cm breit, 59 cm lang

1. Den Karton für den Innenboden auf der linken Seite des Futters (Folienjersey) feststecken und knappkantig festnähen. Zusätzlich diagonal von Ecke zu Ecke nähen.

2. Die zwei Seitenteile herstellen. Dafür je ein Seitenteil aus Jersey, Karton und Popeline in dieser Reihenfolge links auf links übereinanderlegen und rundum knappkantig zusammennähen.

3. An der oberen Kante der Innentasche erst die Nahtzugabe, dann den Umschlag einschlagen und mit 2 cm Abstand zur Kante feststeppen. Die Nahtzugaben an den offenen Kanten einschlagen und bügeln. Die Innentasche an der Markierung im Schnittmuster links auf rechts auf die Futter-Tasche nähen.

4. An der Popeline-Tasche die 2 cm breite Nahtzugabe der Reißverschlusskanten einschlagen, bügeln, rechts auf rechts aufeinanderstecken und an beiden Seiten jeweils 2,5 cm weit zusammennähen. Den Reißverschluss rechts auf rechts an die Nahtzugaben nähen. Anschließend die Futtertasche mit den Reißverschlusskanten rechts auf links an den Reißverschluss nähen. Den Reißverschluss öffnen, die Tasche durch den Verschluss auf rechts wenden und das Futter in die Tasche ziehen. Den Reißverschluss rundum füßchenbreit absteppen.

5. Die Gurtbänder an den Enden 2 cm weit einschlagen und absteppen. An den Markierungen auf der Außenseite der Tasche feststecken. Prüfen, dass die Gurte nicht verdreht sind, und durch Außenstoff und Futter knappkantig aufnähen.

6. Die Tasche umstülpen, sodass das Futter außen ist. Die Seitenteile rechts auf rechts an die Tasche stecken. Die flache Kante des Kreises befindet sich dabei am Boden. Die Seitenteile ringsum feststeppen und verriegeln.

7. Die Nahtzugabe an den Seitenteilen versäubern. Dazu die offenen Kanten mit dem Schrägband einfassen (siehe Näh-ABC). Zuletzt die Tasche auf rechts wenden.

KOSMETIKTASCHE

Zuschneiden:

- aus Popeline in Pink gestreift: 1 x Tasche im Stoffbruch (plus 2 cm Nahtzugabe an der Reißverschlusskante, sonst 1 cm Nahtzugabe); 2 x Seitenteil (plus 1 cm Nahtzugabe, Fadenlauf beachten); 1 x Innentasche (plus 1 cm Nahtzugabe); 2 x Trageriemen, 8 cm breit, 60 cm lang; 2 x Schrägstreifen, 4 cm breit, 45 cm lang
- aus Folienjersey in Silber: 1 x Tasche im Stoffbruch (plus 2 cm Nahtzugabe an der Reißverschlusskante, sonst 1 cm Nahtzugabe); 2 x Seitenteil (plus 1 cm Nahtzugabe)
- aus Karton: 2 x Seitenteil; 1 x Innenboden, 6 cm breit, 24 cm lang

Den Schritten 1–7 des Weekenders folgen. Für die Trageriemen die Stoffstreifen der Länge nach links auf links falten, bügeln und wieder öffnen. Dann die Längskanten zur Mitte falten und bügeln. Die Schmalseiten 2 cm weit nach innen falten. Die Streifen wieder schließen, rundum knappkantig absteppen und aufnähen.

LUNCHBAG „FRECHES FRÜCHTCHEN“

GRÖSSE: 21 cm breit, 45 cm hoch | SCHWIERIGKEITSGRAD: ★★★

Plastikdose war gestern! Lunchbags sind schick, praktisch und umweltbewusst zugleich. Der Außenstoff ist aus robustem Popeline, innen hält abwaschbares Wachstuch Ihren Lunch hygienisch-frisch. Der Klettverschluss sorgt dafür, dass auch garantiert alles an seinem Platz bleibt.

✂ **Schnittmuster: Bogen B**

MATERIAL

- Popeline in Schwarz-Weiß gemustert, 139 cm breit, 50 cm lang
- Wachstuch in Hellgrau gepunktet, 155 cm breit, 50 cm lang
- Bügelvlies, mittelstark, 90 cm breit, 40 cm lang
- Klettverschluss in Neongelb, 4,5 cm breit, 25 cm lang
- farblich passendes Nähgarn

SO WIRD'S GEMACHT

Zuschneiden:

- aus Popeline in Schwarz-Weiß gemustert: 1 x Tasche im Stoffbruch (plus 1 cm Nahtzugabe)
- aus Wachstuch in Hellgrau gepunktet: 1 x Tasche im Stoffbruch (plus 1 cm Nahtzugabe)
- aus Bügelvlies: 1 x Tasche im Stoffbruch

1. Den Baumwollstoff für die Außentasche auf der linken Seite mit Bügelvlies verstärken. Danach die Falze an den Längsseiten nach hinten auf die linke Seite umschlagen und die Kanten bügeln. Wieder öffnen.

2. Auf der rechten Seite der Außentasche auf Vorder- und Rückseite den Kletthaken bzw. den Klettflausch entsprechend der Markierung im Schnittmuster feststecken und aufnähen.

3. Die Außentasche und das Wachstuch-Futter jeweils rechts auf rechts im Bruch doppeltlegen und die Seitenkanten schließen. Die Nahtzugaben auseinanderbügeln.

4. Jeweils die offenen Kanten am Taschenboden aufeinanderstecken und zusammennähen. Danach auch hier die Nahtzugaben auseinanderbügeln.

5. Anschließend die Tasche und das Futter rechts auf rechts ineinanderziehen und am oberen Taschenrand zusammenstecken. Rundherum zusammennähen. Dabei eine 15 cm breite Wendeöffnung lassen.

6. Die Tasche auf die rechte Seite wenden und das Futter in die Tasche schieben. Den Taschenrand sauber ausformen und an der Wendeöffnung die Nahtzugabe nach innen einschlagen und feststecken. Den Taschenrand füßchenbreit absteppen. Dabei wird gleichzeitig die Wendeöffnung geschlossen.

7. Damit die Tasche ihre Form behält, werden die Kanten zusätzlich abgesteppt. Dazu die gebügelten Falze und die zwei seitlichen Bodenkanten links auf links feststecken und füßchenbreit absteppen. Dabei durch Tasche und Futter nähen.

Achtung: Beim Übergang von den Seiten zum Taschenboden schön langsam nähen, damit auch wirklich nur das zusammengenäht wird, was auch zusammengehört!

8. Die Tasche wie eine Papiertüte falten. Dazu die Seiten zwischen den Falzen nach innen drücken und am Boden die Ecken als Dreieck einschlagen. Die Tasche bei niedriger Temperatur vorsichtig bügeln.

9. Zum Verschließen einfach die Tasche von oben nach unten aufrollen. Dabei verhaken sich automatisch die Klettverschlussteile ineinander.

6

TIPP

Für das Futter dieser Tasche unbedingt abwischbares Wachstuch verwenden. Das hält das Brötchen länger frisch – und ist außerdem viel pflegeleichter.

NÄH-ABC

Absteppen:

Steppen wird als Synonym für Nähen verwendet. Sollen Kanten oder Nähte abgesteppt werden, werden diese dadurch haltbarer und zusätzlich betont. Häufig steppt man knappkantig ab, etwa 2 mm neben der Kante bzw. Nahtlinie. Bei Nähten wird in der Regel die Nahtzugabe mitgefasst. Wird die Naht nur auf einer Seite abgesteppt, die Nahtzugaben in diese Richtung bügeln. Wird die Naht an beiden Seiten abgesteppt, die Nahtzugaben auseinanderbügeln. Wird eine Kante abgesteppt, wie z.B. ein Taschenrand, dann durch Außenstoff und Futter nähen.

Besatz:

Ein Besatz ist ein extra zugeschnittener Stoff zum Versäubern von Kanten. Besätze finden Sie z.B. an der oberen Kante der Taschen. Sie sind in diesem Buch meist angeschnitten und werden beim Zusammennähen der Tasche an das Futter genäht und dann nach innen geschlagen, sodass eine schöne Kante entsteht. Bei aufgenähten Innentaschen wird der angeschnittene Besatz nach innen eingeschlagen und mit einer Naht fixiert.

Als Besatz werden in diesem Buch auch Stoffteile bezeichnet, die auf den Außenstoff aufgenäht werden, etwa um den Boden oder die Öffnung zu verstärken. Sie können auch dekorative Zwecke haben.

Bügelvlies:

Soll ein Teil mit Bügelvlies verstärkt werden, wird es meist zusätzlich ohne Nahtzugabe aus dem Bügelvlies zugeschnitten. Das Bügelvlies mit der rauen Seite (Klebstoffseite) auf der linken Stoffseite auflegen. Mit dem Bügeleisen (mittlere Hitze) fixieren. Dabei darauf achten, dass sich das Bügelvlies nicht verzieht und keine Falten entstehen. Das Bügeleisen daher am besten nicht schieben, sondern nur aufsetzen.

Bügelvlies, doppelseitiges:

Mit doppelseitigem Bügelvlies können Stoffe miteinander verbunden werden. Es wird daher vor allem für Applikationen verwendet. Und so geht's:

1. Das gewünschte Motiv seitenverkehrt auf die Papierseite (= glatte Seite) des Bügelvlies zeichnen.

2. Das Motiv entlang der Kontur grob ausschneiden.

3. Das Motiv mit der rauen Seite auf die linke Seite des Stoffes legen und ohne Dampf 4 Sekunden aufbügeln. Dabei die Temperatur dem verwendeten Material anpassen!

4. Nun das Motiv exakt ausschneiden, dann das Trägerpapier abziehen. Das Motiv mit der beschichteten Seite nach unten an der gewünschten Stelle platzieren.

5. Ein feuchtes Tuch auflegen. Das Bügeleisen (Einstellung Wolle/Baumwolle, je nach Material!) mit leichtem Druck Schritt für Schritt ca. 10 Sekunden pro Stelle aufdrücken.

6. Danach unbedingt ca. 20 Min. flach liegend auskühlen lassen. Nach Wunsch die Kontur mit Geradstich oder Zickzackstich absteppen.

Fadenlauf:

Jeder Stoff hat eine Richtung, in die er gewebt wurde. Der Fadenlauf verläuft parallel zur Webkante eines Stoffes. Oft ist diese Richtung auch am aufgedruckten Muster erkennbar. Die Schnitteile müssen immer so zugeschnitten werden, dass der Pfeil parallel zum Fadenlauf liegt.

Füßchenbreit:

Wenn eine Kante oder eine Naht füßchenbreit abgesteppt wird, wird der Nähfuß beim Nähen bündig zur Außenkante des Stoffes oder zur entsprechenden Naht geführt.

Knappkantig:

Wenn eine Kante oder eine Naht knappkantig abgesteppt wird, wird der Nähfuß so an der Kante oder Naht entlang geführt, dass die Nadel ca. 2 mm neben dieser einsticht.

Lederimitat verarbeiten:

Für den Zuschnitt eignet sich ein Rollmesser oder ein Cutter. Das Schnittmuster auf der Rückseite mit Klebefilm oder Maskingtape fixieren und mit einem weichen Bleistift anzeichnen. Das Lederimitat auf einer glatten Oberfläche zuschneiden.

Stecknadeln hinterlassen in der Oberfläche unschöne Löcher. Verwenden Sie daher lieber Clips, Büro- oder Wäscheklammern, um die Teile vor dem Nähen aufeinander zu fixieren. Oder stecken Sie die Stecknadeln nur auf der Nahtzugabe fest.

Beim Nähen sollte eine robuste Nadel (mindestens Stärke 100) oder eine spezielle Ledernadel verwendet werden. Das verwendete Garn sollte reißfest oder extrastark sein (Jeans-Nähgarn). Um ein Einreißen zu vermeiden, sollte mindestens eine Stichlänge von 3–4 mm gewählt werden. Sonst perforiert die Nähnadel das Material.

Manchmal transportiert eine Nähmaschine das beschichtete Material nicht richtig. Es scheint, als würde es am Nähfuß kleben bleiben. In diesem Fall einen beschichteten Teflon-Nähfuß verwenden oder in lange Streifen geschnittenes Seidenpapier oder Backpapier beim Nähen auflegen, damit der Fuß besser gleitet. Das Papier nach dem Nähen einfach abreißen.

Linke Seite:

Als linke Seite bezeichnend man die Rückseite eines Stoffes, auf welcher sich kein Muster befindet und die später bei der fertigen Tasche nicht sichtbar ist.

links auf links:

Diese Angabe zeigt an, wie zwei Stoffe aufeinandergelegt oder zusammengenäht werden. In diesem Fall werden beide Stoffe mit der linken Seite (Rückseite) aufeinandergelegt.

links auf rechts:

Werden zwei Stoffe links auf rechts aufeinandergelegt oder zusammengehnäht, liegen beide mit der rechten Seite (Vorderseite) nach oben, die Rückseite des oberen Stoffes (linke Seite) liegt also auf der Vorderseite (rechte Seite) des unteren.

Nahtzugabe:

Damit die Stoffteile mit einer Naht miteinander verbunden werden können, benötigen sie ringsum eine Zugabe. Die Schnittteile werden daher in der Regel mit einer Nahtzugabe zugeschnitten, die in gleichmäßigem Abstand (meist 1 cm) um das Schnittmuster herum angezeichnet wird. Werden die Stoffteile bündig an der Nahtzugabe aufeinandergesteckt, liegen folglich auch die Nahtlinien aufeinander. Beim Nähen die jeweilige Breite der Nahtzugabe berücksichtigen und den Stoff so anlegen, dass die Nadel auf der Nahtlinie einsticht.

Die Schnittmuster sind, wenn nicht anders angegeben, ohne Nahtzugabe. Die jeweils erforderliche Nahtzugabe für den Zuschnitt wird in den Anleitungen und bei den Schnittmustern angegeben.

Nahtzugabe ein- oder zurückschneiden:

Vor dem Wenden müssen die Nahtzugaben an Ecken, Spitzen und Rundungen beschnitten werden, damit sich die Kante sauber ausformen lässt. An Ecken einfach diagonal bis knapp vor die Naht einschneiden. An Spitzen einfach die Nahtzugabe an der Spitze kurz vor der Naht kappen. An Rundungen die Nahtzugabe knapp zurückschneiden oder in kurzen Abständen kleine Dreiecke ausschneiden.

Rechte Seite:

Die rechte Seite ist die Vorderseite eines Stoffes, auf der sich das Muster befindet bzw. die Seite, welche bei der fertigen Tasche sichtbar ist.

rechts auf links:

Werden zwei Stoffe rechts auf links aufeinandergelegt oder zusammengenäht, liegen beide mit der linken Seite (Rückseite) nach oben, die Vorderseite des oberen Stoffes (rechte Seite) liegt also auf der Rückseite (linke Seite) des unteren.

rechts auf rechts:

Diese Angabe zeigt an, wie zwei Stoffe aufeinandergelegt oder zusammengenäht werden. In diesem Fall werden beide Stoffe mit der rechten Seite (Vorderseite) aufeinandergelegt. Wird der Stoff anschließend gewendet, kommt die schöne Seite zum Vorschein und die Nahtzugabe liegt innen zwischen den beiden Stoffen bzw. auf der linken Seite.

Reißverschluss einnähen:

Die beiden Stoffteile, zwischen die der Reißverschluss gefasst werden soll, rechts auf rechts aufeinanderlegen und die Kante an beiden Seiten 2–3 cm breit (oder wie in der Anleitung angegeben) zusammennähen. Zwischen den Nähten befindet sich nun der Reißverschluss-Schlitz. Die Nahtzugaben auseinanderbügeln und den Reißverschluss an den Schlitz stecken. Dazu den Reißverschluss öffnen und eine Hälfte mit dem Zipper nach unten rechts auf rechts an eine Nahtzugabe stecken. Die Zähnchen des Reißverschlusses stoßen dabei an die gebügelte Linie. Diese Hälfte des Reißverschlusses auf der Nahtzugabe festnähen. Nun den Reißverschluss schließen und die zweite Hälfte wie beschrieben an das zweite Stoffteil stecken, sodass der Reißverschluss exakt an der richtigen Position sitzt. Den Reißverschluss öffnen und die zweite Hälfte einnähen.

Schließen:

Eine Kante oder eine Naht schließen heißt, dass der Stoff rechts auf rechts aufeinandergesteckt und zusammengenäht wird.

Schrägband:

Seinen Namen erhält das Schrägband durch den Winkel, in dem es aus Stoff zugeschnitten wurde, nämlich im schrägen Fadenlauf. Ein schräger Zuschnitt gibt dem Schrägstreifen Flexibilität, die benötigt wird, um sich an Rundungen und Kurven anzupassen. Es wird verwendet, um offene Kanten einzufassen und zu versäubern. Außerdem lassen sich damit schöne Akzente setzen. Und so wird's gemacht:

1. Das Schrägband in der angegeben Länge und Breite im 45 Grad-Winkel zum Stoffbruch zuschneiden.

2. Das Schrägband der Länge nach mittig falten, bügeln und wieder öffnen. Nun die Längskanten zur Mitte einschlagen, ebenfalls bügeln und wieder öffnen.

3. Das fertige Schrägband hat nun drei Falze, mit denen es so um die Stoffkante herumgelegt werden kann, dass alle Schnittkanten sauber im Inneren versteckt sind.

Schrägband aufnähen:

1. Ein Ende des Schrägbandes 1–2 cm nach innen umschlagen. Mit diesem Ende beginnend das Schrägband rechts auf links bündig entlang der offenen Kante feststecken. Am Ende das Schrägband mit 1–2 cm Zugabe abschneiden und die Zugabe nach innen einschlagen. Treffen Anfang und Ende aufeinander, das Ende einfach auf dem Anfang feststecken, sodass sich Anfang und Ende 1–2 cm überlappen. Das Schrägband an der gebügelten Falzkante aufnähen.

2. Das Schrägband auf die gegenüberliegende Seite der offenen Kante umschlagen. Die Längskante des Schrägbands am gebügelten Falz einschlagen und feststecken. Knappkantig an der Falzkante entlang absteppen. Dabei auf eine saubere Naht achten, da diese Seite der mit Schrägband eingefassten Kante später zu sehen ist.

SnapPap:

Es besteht aus einer Papier-Kunststoff-Mischung, die sich aus Zellulose und Latex zusammensetzt. Ein waschbares Papier in Lederoptik, das vielseitig einsetzbar ist.

Nähere Informationen über das Materiel gibt es unter www.snap-pap.de.

Steppen:

Steppen bezeichnet das Nähen mit der Maschine.

Strichrichtung:

Bei Kord und Samt muss neben dem Fadenlauf beim Zuschneiden auch die Strichrichtung beachtet werden. Wenn man mit der Handfläche mit bzw. gegen den Fadenlauf über den Stoff streicht, merkt man, dass er sich einmal glatt anfühlt und einmal borstig, so als würde man gegen den Strich streichen. Außerdem reflektiert der Stoff das Licht unterschiedlich, je nachdem, ob die Strichrichtung nach oben oder nach unten verläuft. Darum Kord und Samt immer so zuschneiden, dass die Strichrichtung bei allen Teilen gleich ist.

Stoffbruch:

Dieser Begriff bezeichnet die Kante, an der ein Stoff doppelt gelegt wurde. Einige Teile müssen im Stoffbruch zugeschnitten werden. Das heißt, dass das Schnittmuster mit der auf dem Schnittmusterbogen angegebenen Kante am Stoffbruch des Stoffes angelegt wird. An dieser Kante keine Nahtzugabe geben.

Taschenecken nähen:

In diesem Buch werden zwei Varianten erklärt, die Ecken einer Tasche zu nähen.

VARIANTE 1: Bodennaht und Seitenkanten komplett verschließen. Die Tasche aufstellen, dadurch knicken sich die beiden Ecken als zwei flache Spitzen nach links und rechts ab. Nun die über die Spitzen verlaufende Seitennaht so ausrichten, dass sie exakt auf die Bodennaht oder die markierte Bodenmitte trifft. Entlang der Knickkante der Spitze nun eine gerade Linie (im rechten Winkel zur Seitennaht) absteppen.

VARIANTE 2: Bodennaht und Seitenkanten der Tasche verschließen. Die seitlichen Bodenkanten sind noch offen, sie liegen im rechten Winkel zueinander. Nun jeweils die an einem Winkel befindlichen Kanten rechts auf rechts aufeinanderlegen und zusammennähen. Beachten Sie, dass jeweils nur die Kanten derselben Stofflage zusammengenäht werden, **nicht** eine Kante des vorderen und des hinteren Stoffes. Den Vorgang an allen vier Winkeln wiederholen, sodass ein rechteckiger Boden entsteht.

Verriegeln:

Unter Verriegeln versteht man das kurze Vor- und Zurücknähen am Anfang und am Ende einer Naht. Damit sich die Nähte nicht von allein lösen, ist das Verriegeln beim Nähen unerlässlich.

Versäubern:

Eine Kante oder eine Nahtzugabe mit Zickzackstick einfassen, sodass der Stoff nicht ausfransen kann.

Waschen:

Bei Baumwolle und Leinen besteht Einlaufgefahr. Daher am besten vor der Verarbeitung bzw. dem Zuschnitt nach Herstellerangabe waschen und trocknen.

Wendeöffnung schließen:

Die Nahtzugaben der Wendeöffnung nach innen einschlagen und feststecken. Dann beide Kanten aufeinanderlegen und knappkantig absteppen, sodass die Öffnung geschlossen ist.

Zuschnitt: Den Stoff vor dem Zuschnitt bügeln. Dann die Schnittmusterteile auf den Stoff legen und mit der angegebenen Nahtzugabe anzeichnen. Dabei auch alle Markierungen der Schnittteile auf den Stoff übertragen. Die zusätzlich in der Anleitung angegebenen Teile auf dem Stoff anzeichnen, dann alle Teile zuschneiden.

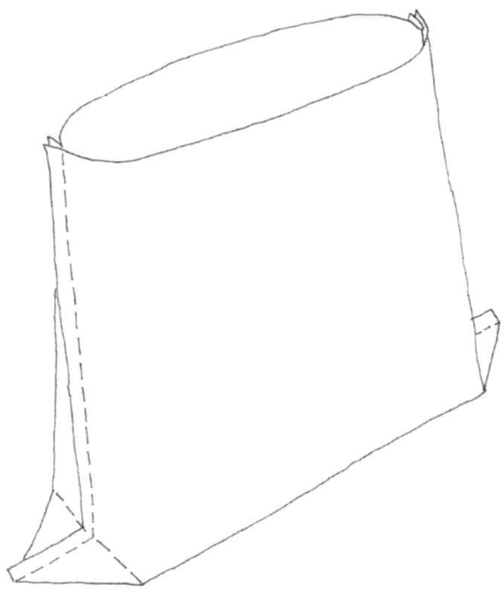

Taschenecken nähen, Variante 1

Autorin:
Jessica Stuckstätte

Fotos:
Cutter & Soul GmbH, Hamburg

Illustrationen:
Annemarie Arzberger (Skizze Taschenecke S. 71), © Fotolia.com: Milta (Schmuckillustrationen)

Wichtiger Hinweis:
Bei Babys und Kleinkindern besteht aufgrund ihres Alters die Gefahr, Kleinteile zu verschlucken oder sich mit Schnüren oder Kordeln selbst zu strangulieren. Überprüfen Sie deshalb Ihre genähten Taschen nach Fertigstellung und von Zeit zu Zeit auf lösbare Kleinteile (wie Knöpfe, kleine Accessoires o. ä.), damit diese nicht von Babys oder Kleinkindern abgelöst und verschluckt werden können. Sollten Sie Modelle mit Kordeln oder Schnüren anfertigen, achten Sie darauf, dass deren Enden nicht verdickt oder verknotet sind. Lassen Sie Ihr Kind außerdem niemals unbeaufsichtigt, denn aufgrund der Kordeln oder Schnüre könnte eine Strangulierungsgefahr bestehen.